A VIAGEM
DE UMA ALMA

PETER RICHELIEU

A VIAGEM
DE UMA ALMA

Tradução de
NAIR LACERDA

**Editora
Pensamento**
SÃO PAULO

Copyright © 1996 Peter Richelieu.

Publicado originalmente em inglês por HarperCollins Publishers Ltd sob o título A SOUL´S JOURNEY.

Copyright da edição brasileira © 1974 Editora Pensamento-Cultrix Ltda.

1ª edição 1974 (catalogação na fonte, 2006)

27ª reimpressão 2023.

O autor reivindica o direito moral de ser identificado como o Autor desta obra.

Todos os direitos reservados. Nenhuma parte deste livro pode ser reproduzida ou usada de qualquer forma ou por qualquer meio, eletrônico ou mecânico, inclusive fotocópias, gravações ou sistema de armazenamento em banco de dados, sem permissão por escrito, exceto nos casos de trechos curtos citados em resenhas críticas ou artigos de revistas.

Dados Internacionais de Catalogação na Publicação (CIP) (Câmara Brasileira do Livro, SP, Brasil)

Richelieu, Peter
 A viagem de uma alma / Peter Richelieu ; tradução Nair Lacerda. -- São Paulo : Pensamento, 2006.

 Título original: A soul's journey
 ISBN 978-85-315-0698-7

 1. Espiritualismo 2. Reencarnação 3. Vida futura I. Título.

06-3828   CDD-133.93

Índices para catálogo sistemático:
1. Vida futura : Doutrina espírita   133.93

Direitos para a língua portuguesa reservados pela
EDITORA PENSAMENTO-CULTRIX LTDA.
Rua Dr. Mário Vicente, 368 – 04270-000 – São Paulo, SP – Fone: (11) 2066-9000
E-mail: atendimento@editorapensamento.com.br
http://www.editorapensamento.com.br
que se reserva a propriedade literária desta tradução.
Foi feito o depósito legal.

*Dedicado a
Todos os que Procuram*

"Assim como um homem se despe das roupas velhas e veste roupas novas, assim o ego, quando se manifesta, despe-se do corpo velho e passa para outros e novos corpos."

Bhagavad Gita

Introdução

*A*pesar de não ser escritor, e de não reivindicar dotes ou experiência nesse sentido, entrego este livro ao mundo sem por ele me desculpar, já que estou cumprindo ordens daqueles que devem ser obedecidos.

A parte do livro que irá manter o interesse de maior número de leitores é a que se inicia no capítulo quatro. Para as pessoas que não guardam lembrança da sua vida e atividades durante o sono, mesmo essa parte do livro conterá muitas idéias completamente novas. Dado que muitas dessas idéias requerem explicação, previne-se os leitores contra a tentação de se esgueirarem rapidamente através dos capítulos preliminares, a fim de chegar mais depressa a esse! Esses capítulos introdutórios, escritos sob a forma de conversação com um guru hindu, estão de tal forma repletos de informações vitais que mantêm a chave, não só do que se segue no decorrer do livro, mas daquilo que acontece com todos nós, em determinadas ocasiões. Os que lerem lenta e cuidadosamente, voltando a lê-los com freqüência, irão obter as informações mais gerais, e adquirir melhor fundamento para a apreciação da história que se segue.

Escrevendo minhas experiências, não lhes acrescentei ornamentos. Se essas experiências ajudarem alguns leitores a compreender o esquema da vida, e com isso se sentirem confortados, se lhes derem algum discernimento quanto à natureza da evolução, e lhes fornecerem uma razão para se tornarem amigos dos animais — elas não terão sido escritas em vão.

Peter Richelieu

Prólogo

Era o dia 7 de julho de 1941, e eu ainda estava meditando sombriamente a respeito de um telegrama que recebera do Ministério da Guerra, três dias antes, informando-me de que Charles, meu querido irmão mais novo, fora morto em ação, sobrevoando a Inglaterra. Charles tinha apenas vinte e três anos, e havia pouco mais de um ano ingressara na R.A.F. e fora qualificado como piloto. Estávamos orgulhosos dele, naturalmente — e quem não desejaria ingressar na R.A.F., se tivesse vinte e três anos, fosse muito bem-disposto e estivesse ansioso por fazer sua parte em benefício da velha pátria? Sabíamos, como é natural, que a vida de um piloto era precária, mas, fosse como fosse, não nos parecia que alguma coisa lhe pudesse acontecer. As pessoas amiúde pensam assim em relação àqueles que amam, e Charles e eu tínhamos sido sempre mais ligados um ao outro do que habitualmente acontece entre irmãos, embora houvesse uma diferença de dez anos entre nossas idades.

Recordo-me da primeira vez em que ele, orgulhosamente, disse-nos ter abatido seu primeiro avião inimigo. O choque inicial produzido pela notícia da morte de Charles foi rude e, no momento, pela primeira vez em minha vida, sentia-me amargurado contra os Poderes que Existem, contra o Criador benéfico do qual se fala tão loquazmente. Como podia Ele ser benéfico, se permitia que um inocente fosse morto?

Eu fora educado como católico, talvez não muito ortodoxo, e aceitara muitas coisas tal como as recebera, como costumam fazer os cristãos. A religião fazia parte da vida de cada qual e, em certos dias, seria necessário conceder-lhe algum tempo. Em outras ocasiões, não se pensava muito no que se esperava de um cristão, de um seguidor de Cristo. Agora, pela primeira vez, eu cogitava nessas coisas, e não sentia o desejo de ir a uma igreja — e, certamente, não queria procurar um padre. Não desejava rezar. E por que o faria? Deus me levara a coisa mais preciosa que eu possuía neste mundo e, embora não amaldiçoasse Deus por isso, o fato é que, com toda a certeza, estava muito tendente a odiá-lo.

Um amigo me dissera que Charles estava bem, fora daquela guerra. Que, sem dúvida alguma, o outro mundo era melhor lugar do que o nosso, naquele momento. E que eu deveria sentir-me agradecido. Contudo, eu não me sentia agradecido. Tinha antegozado tanto a presença de meu irmão, de seu riso cordial, de seu rosto animado, quando chegasse, em sua próxima licença que tínhamos combinado passar juntos. Agora o futuro era como um vácuo.

Nessa disposição de espírito encontrava-me eu, naquela manhã para sempre inesquecível, há algumas semanas atrás, no dia em que *ele* veio. Apesar de agora, a julgar pela modificação que se processou em mim, parecer que tudo aconteceu numa existência passada, posso recordar todos os pormenores, e os recordarei até o dia da minha morte. Tentarei contar a história, tal como aconteceu, mas, se o registro parecer desconexo, os leitores devem desculpar-me, porque até agora nunca tentei escrever uma história, e só o faço, neste momento, porque desejo que outros sejam consolados, tal como eu o fui.

Mais ou menos às 11 horas daquela manhã bateram à porta da minha casa, e meu criado veio dizer-me que no vestíbulo estava um jovem que desejava falar comigo.

— Que espécie de homem? — indaguei.

— Um homem estranho, senhor, penso que veio pedir alguma coisa.

Mandei que o rapaz descesse e perguntasse o que aquele homem desejava, e que depois viesse dizer-me do que se tratava. Voltando, disse-me ele que o homem tinha uma mensagem que só poderia ser dada a mim. Tomado de certa irritação, respondi, apesar disso, que trouxesse o homem à minha presença.

Embora depois dessa ocasião eu tivesse visto com freqüência aquele homem, ainda sinto dificuldade em descrevê-lo — mas farei o melhor que puder. Era alto, magro, de uns quarenta e cinco anos, mais ou menos, e usava barba. Um nativo da Índia do Norte, indiscutivelmente, embora sua pele fosse quase tão branca quanto a minha. Estava vestido com um simples costume indiano, feito de um material de cor indefinida, que, à primeira vista, se poderia considerar sujo, mas que, quando melhor observado, via-se que estava imaculadamente limpo. Tinha os pés metidos em sandálias e usava turbante.

Eu disse ao criado que nos deixasse, e convidei meu visitante a sentar-se. Ele o fez, não na cadeira que eu lhe havia indicado, mas no tapete, com as pernas cruzadas. Foi então que reparei na expressão benevolente de seus olhos, que pareciam conter a sabedoria dos tempos. Até então ele não falara.

— Bem — disse-lhe eu. — Em que lhe posso ser útil?

O visitante pareceu surpreendido com aquela pergunta, e levou alguns segundos para responder.

— *O senhor é que me mandou chamar* — disse ele.

Aquilo foi demais para mim, e então respondi:

— Que quer o senhor dizer com isso? Nunca pus os olhos em sua pessoa, portanto a propósito de que iria chamá-lo? Vamos, diga-me o que quer, porque tenho trabalho a fazer.

— O senhor mandou-me chamar — repetiu ele, e suponho que a surpresa que senti deve ter-se refletido na minha expressão, porque ele sorriu, e continuou:

— Não acaba de perder seu irmão? Não é verdade que esteve fazendo perguntas sobre uma Providência oculta, que o senhor acusa de ter sido o instrumento usado para arrebatar-lhe o irmão? Não disse, muitas vezes: "Por que acontecem coisas assim? Por que seria ele levado, e não outros? Que adianta acreditar num deus, quando não se pode fazer-lhe perguntas e ouvir dele respostas a essas perguntas que tanto significam para nós?" Nestas últimas três noites, enquanto dormia, o senhor sonhou que estava conversando com seu irmão. O senhor *esteve* conversando com ele. Fez essas perguntas, e muitas outras, durante aquelas horas de um sono irregular. Eu sou a resposta a essas perguntas. Sou o mensageiro que foi enviado para tornar claras essas coisas para o senhor, já que o Cristo disse: "Pede, e receberás; bate, e a porta te será aberta." O senhor pediu, o senhor bateu, e agora fica a seu cargo dizer se ainda deseja receber as respostas pelas quais tantas vezes clamou.

— Claro está que desejo respostas para as minhas perguntas — disse eu. — Mas quem é o senhor, e como posso saber se tem condições para me dizer o que quero? Está evidente que é um homem como eu, vivo, usando um corpo, embora diga que conhece meu irmão, que fala com ele, que me ouviu fazer as perguntas que fiz. Isso é magia ou estou sonhando? Convença-me, se pode. Encontrará em mim um bom ouvinte, não muito crédulo, receio, mas como já parece saber tanto a meu respeito, ouvirei o que tem a dizer.

O homem falou, então:

— Receio que isso tome algum tempo, até que o faça compreender mas, se quiser dispor desse tempo, eu virei procurá-lo por uma ou duas horas, quase todos os dias, até que minha história se conclua. Não posso prometer que se irá convencer através de tudo quanto eu lhe tenho a dizer, mas posso prometer, pelo menos, que se sentirá mais feliz do que se sente agora. Portanto, nem que fosse apenas por esse motivo, seu tempo talvez não será inteiramente desperdiçado. Está bem para o senhor, às 11 horas, todas as manhãs?

— Sim, sim — confirmei, de certa forma cogitando em que me estaria deixando envolver, mas ao mesmo tempo sentindo que poderia livrar-me dele depois do primeiro dia, se aquilo se revelasse um embuste.

Levantei os olhos, pretendendo continuar a conversa, mas o homem havia desaparecido. Não havia ninguém ali, embora eu não tivesse ouvido a porta abrir-se ou fechar-se. Comecei a imaginar se não teria sonhado, ou se meu cérebro começava a desarranjar-se um tantinho, em conseqüência da aflição e da falta de sono. Cheguei a chamar o criado, perguntando-lhe se realmente tinha feito subir um homem que desejava falar comigo. Quando ele confirmou, perguntei-lhe se o tinha visto partir, ao que ele respondeu que não, negando, resolutamente, que alguém pudesse ter deixado minha sala e saído da casa pela porta da frente sem que ele visse. Isso não ajudou, e eu ainda estava imaginando se não havia sido um sonho, porque, de certa forma, a declaração do criado, de que trouxera um homem à minha presença, não me parecia real. Decidi esperar pelo dia seguinte — 11 da manhã, eis a hora que ele fixara. E eu estaria em minha sala àquela hora, com toda a certeza, para ver se ele viria ou não.

Bem estranhamente, adormeci naquela noite como não dormia desde que recebera o funesto telegrama. Quando acordei, naquela manhã, parecia-me ter estado conversando com Charles, falando-lhe sobre o meu visitante. Charles não se mostrara absolutamente surpreendido, e eu acordei com a certeza de que meu amigo hindu retornaria, conforme estava combinado. Resolvi perguntar-lhe, assim que chegasse, como se arranjava para partir sem ser visto nem ouvido.

Suponho que a minha porta tenha ficado entreaberta, porque exatamente às 11 horas, uma voz agradável, a meu lado, disse:

— Bem, o senhor ainda quer as respostas para aquelas perguntas?

Eu não o ouvira entrar, mas, de certa forma estranha, senti-me tão tranqüilizado pela sua presença que respondi:

— Certamente. Estou pronto.

Sem mais preâmbulos, ele sentou-se no chão, e eu me recostei na minha cadeira. E o homem começou a contar-me a mais extraordinária história que eu já ouvira — uma história que até agora não compreendo integralmente, mas que me pareceu autêntica desde a primeira palavra, uma história que, sinto, parecerá autêntica para outros que possam lê-la.

Durante todos os dias que se seguiram, pouco conversamos. Ele chegava, tal como chegara no primeiro dia; às vezes falava durante uma hora, às vezes mais, e, quando terminava a sessão da manhã, juntava as palmas, à moda oriental e partia. Penso que sentia quando eu já ouvira o bastante, quando meu cérebro, tomado de um remoinho de fatos estranhos, alcançava um ponto em que não podia receber mais nada, pois reparei que, às vezes, ele terminava subitamente, e, sem uma palavra de despedida, deixava a sala, para retornar na manhã seguinte, quando, sem qualquer introdução, começava a falar como se tivesse terminado naquele momento a sentença final da narração do dia anterior.

Capítulo 1

— Não vim para convertê-lo a qualquer nova fé, a qualquer filosofia nova. Eu fui mandado ao senhor por aquele que é o meu Mestre, a fim de fornecer respostas para as perguntas que o intrigam presentemente. A única forma através da qual eu posso fazer isso é falar-lhe sobre os fatos fundamentais da vida, na esperança de que assim adquira um embasamento de conhecimentos, e com eles possa construir uma filosofia própria. Também lhe darei assistência na obtenção da experiência prática, por intermédio da qual possa provar muitas coisas a si mesmo. Muito do que eu lhe disser parecerá incomum, mas, em muitas vidas, estudei muito, e tive provas que me convenceram de que certos fatos são verdadeiros. Não desejo que o senhor aceite o que eu digo como fatos ou verdades, porque só poderá pensar assim quando chegar a saber essas coisas dentro de sua própria consciência.

"Há uma velha frase do senhor Buda, fundador da religião que tem seu nome, frase que ilustra o que eu digo. Um dia, um de Seus discípulos veio ter com Ele, e disse: 'Senhor, em quem devo acreditar? Um homem diz-me isto, outro diz-me aquilo, e ambos parecem seguros de terem razão.' O senhor Buda respondeu: 'Meu filho, não acredites no que homem algum te disser, nem mesmo em mim, o senhor Buda, a não ser que o que ouves corresponda ao teu senso comum. E, ainda assim, não acredites nele, mas trata o caso como hipótese razoável, até que chegue a ocasião em que possas obter a prova por ti mesmo.'

"Antes de mais nada, eu irei dar-lhe um traçado tosco do caminho chamado evolução, e de como essa coisa indefinível que se chama vida flui através dos reinos da Natureza.

"Da fonte da vida eu não lhe posso dar idéia. Não o sei, e jamais encontrei alguém que o soubesse. Mas que importa isso? Todos os homens que pensam concordam em que deve haver um poder criador atrás do Universo. Não parece ter grande importância que pensemos nesse Poder como sendo um Deus pessoal, ou apenas como se fosse o poder de criar. Há muitas pessoas que ainda gostam de pensar em Deus com sendo um venerável ancião de barbas, figura idealística baseada no que de mais alcandorado cada pessoa possa imaginar, porém com poderes ilimitados, e uma compreensão de justiça que não tem igual entre os homens. Quem pode dizer que tal idéia seja insensata? Ela pode satisfazer muita gente, mas não se fundamenta em fatos, porque não há homem vivo que possa falar, com conhecimento próprio, tanto da criação do Universo como dessa coisa a que chamamos vida.

"Embora não possamos analisar a vida, podemos ter contato com ela. Quem já não viu um animal, ou um ser humano, vivo há um minuto, morrer no minuto seguinte? Que aconteceu durante esse minuto? Certamente algo deixou o corpo que se tinha visto em ação, deixando a carne imóvel, aquela carne, que, mesmo no instante em que a contemplamos, parece começar a desintegrar-se e a voltar para a Mãe-Terra. Assim, podemos reconhecer a vida como um fato, embora não tenhamos a possibilidade de compreendê-la. E, certamente, não podemos criá-la, como podemos criar tantas outras coisas nestes dias esclarecidos. A mente do homem produziu muitos auxiliares sintéticos da Natureza, mas não produziu vida sintética.

"O mundo da ciência diz-nos que a vida é encontrada em todos os reinos da Natureza — o mineral, o vegetal, o animal e o humano. Não é preciso que nos digam que há vida nos reinos animal e humano — podemos ver isso por nós mesmos — porém é mais difícil acreditar que também haja vida nos reinos vegetal e mineral. Fontes dignas de crédito dizem-nos que mesmo as pedras têm vida, e que, ao lhes ser retirada a força da vida, elas começam a apodrecer. Com o tempo, desmoronam e retornam ao pó, muito à feição do que acontece com o corpo humano, embora, nas pedras, o processo use maior espaço de tempo. É mais fácil, sem dúvida, aceitarmos o fato de que os vegetais têm vida, do que a mesma coisa em relação às pedras, porque os vegetais, quando arrancados à terra, que é para eles a fonte da vida, mostram-nos como murcham e morrem, tornando-se pó, com o tempo, o que acontece com todas as coisas vivas quando a força da vida lhes é tomada.

"Os filósofos ainda remontam a vida a um reino adicional, a que chamam reino super-humano, porque, quando o homem conquista o reino humano, sua evolução não chega a um fim súbito, mas prossegue em ascensão, sempre subindo, até que, finalmente, alcance a fonte de onde surgiu, há quantas incontáveis eras antes desta nenhum simples homem é capaz de adivinhar sequer. Eles declaram ainda mais: que a vida é progressiva, e que a meta da vida é a experiência; que ela enceleira e colhe à proporção que passa através dos reinos da natureza, desde as formas mais baixas, nas quais a vida é encontrada, até as mais altas, que podem ser descritas como as do Homem Perfeito, ou 'do homem tornado perfeito'.

"Depois, devemos considerar qual é a diferença entre a vida encontrada no reino mineral, e a vida que conhecemos nos reinos animal e humano. Sua essência é, indubitavelmente, a mesma, porque, conforme expliquei, a origem de toda vida é Divina. Quanto é diferente, contudo, em sua expressão! Quando a vida começa a funcionar sob o aspecto de vários minerais, não tem individualidade, tal como a compreendemos no nível humano. Nos tipos mais baixos de mineral, a força da vida, depois de ganhar a experiência que deve obter, passa para as formas mais altas. Mais tarde, passa para os tipos mais baixos de vegetais, e assim por diante, até os mais altos tipos desse mesmo reino. Tudo isso demanda muitos milhares de anos, tal como o tempo é contado neste planeta, mas só quando a vida passa do reino vegetal para o reino animal é que certa espécie de divisão se torna aparente. Mesmo nesse estágio não há individualidade, porém e simplesmente uma consciência de grupo, ou alma grupal, comum a todos os animais da mesma espécie, consciência que trabalha esses animais e os dirige, externamente. Quando a força da vida passa para o reino humano, um espírito, ou ego residente, habita cada corpo individual e dita os pensamentos e ações de cada ser humano. Nesse estágio, as almas grupais têm influência sobre raças, mas não a têm sobre o indivíduo que agora possui o livre-arbítrio.

"Para os animais, o homem é um superanimal, tal como para o homem um homem perfeito é um super-homem. E é lamentável descobrir que esse superanimal é inclinado a agir com crueldade em relação a seus irmãos mais novos, e não com misericórdia e compreensão, parecendo ser, realmente, a causa principal dos sofrimentos que eles suportam. Se os homens matassem apenas com o propósito de obter alimento, como o fazem os animais, ou porque algum animal selvagem ameaçasse matá-los, tal coisa poderia ser vista como em concordância com as leis da natureza, mas eles torturam animais através de vários meios, para que suas mulheres possam se adornar com peles e plumas. E matam por aquilo a que chamam "esporte", quando experimentam sua "habilidade" em pontaria, sem se importar com o sofrimento que podem causar em relação àqueles que não se mostram tão bem equipados quanto eles. Toda essa impensada crueldade traz à tona a emoção do *medo*, que é a mais retardadora das emoções. O medo diante do superanimal começa nas mais baixas formas de vida animal, e continua através do reino animal, até que os animais entrem em contato com o homem, em sua vida doméstica. Então, o medo nascido nos estágios primitivos vai sendo, lenta, mas seguramente, substituído por amor. Até que isso aconteça, o progresso dos animais é lento, ao longo do caminho da evolução.

"Vou retraçar para o senhor a passagem da força da vida através do reino animal. Tente imaginar a força da vida como a água de um canal que corre lentamente. Esse canal é limitado, de ambos os lados, pelas margens, dando assim a impressão de um propósito controlador. Não há, praticamente, diferença nessa corrente, quando passa através dos reinos mineral e vegetal, mas há modificação nítida quando ela emerge do canal para as condições que governam o reino animal.

"O reino animal é uma estrutura complexa de diferentes níveis de evolução, indo dos micróbios aos vermes, dos animais das selvas até os animais que os homens domesticaram. Passando através do reino animal, a força da vida adquire coloração pela experiência. Toma a forma, digamos, de miríades de girinos. A força da vida existia na larva produzida por uma rã: no devido tempo, ela emerge, representada por muitos milhares de girinos. Eles nascem para ter contato com a vida, e ganhar a experiência que irá colorir a água, que era clara. Muitos girinos morrem na infância, jamais alcançando seu destino de rãs, e essas unidades de água, podemos dizer, retornam às almas grupais quase sem colorido. Algumas tornam-se rãs, e embora seja por falta de alimento, seja por outras mil razões diferentes, suas vidas possam ser curtas. As unidades de água que compreendem essas jovens rãs, quando eventualmente chegam a um fim, retornam às suas almas grupais, coloridas apenas com a pequena experiência de desconforto ou sofrimento devido à causa de sua morte. Outras vivem mais tempo e, na devida ocasião, entram em contato com a vida humana. A rã aprende a temer seus atormentadores, a fugir deles, a esconder-se sempre que possível, a fim de evitar contato com eles. Quando chega a ocasião, morre, seja por morte natural, o que, na maioria dos casos, é pouco provável, seja pela impensada crueldade do reino humano, ou pelo ataque vindo de um inimigo natural das rãs, como as cobras. Quando as unidades de água que compreendem esses fragmentos de vida retornam a seus compartimentos, sua experiência irá, com toda certeza, colorir a água, aquela água que no início era clara. E com muitas cores, expressando o sofrimento sob suas diversas formas. A experiência toda, mesclando-se, deixa aquele compartimento colorido com a experiência de todas as unidades, nenhuma das quais tem uma identidade separada, sendo todas parte de uma alma grupal completa.

"Depois de uma ou duas vidas nesse estágio de evolução, a força da vida, com suas experiências de água acumuladas, passa para o nível seguinte. Em lugar de dezenas de milhares de girinos, ela se divide em dezenas de milhares de unidades de ratos, ou camundongos, por exemplo. O rato nasce com o medo do ser humano e de seus inimigos naturais, porque não foi a água colorida pelo medo que retornou, vindo das vidas vividas no estágio anterior. Nessa série de vidas, o medo continua a crescer. No início de sua vida o rato aprende, através de amarga experiência, a evitar a todo o custo o homem, a trabalhar à noite, quando o homem parece menos aterrador do que durante o dia. E, se consegue viver até uma idade mais avançada, isso acontecerá, com certeza, como resultado de sua esperteza e domínio de métodos para esquivar-se de seus inimigos naturais."

Quando eu estava ainda ponderando sobre essas palavras finais, levantei os olhos, e a sala estava vazia. Fiquei sentado, imóvel, por algum tempo, e tentei apreender a essência do que ele tinha dito. Depois de algum tempo, grande parte daquelas idéias retornou à minha mente. De início, não considerei se acreditava ou não naquilo. Isso parecia não importar. Era tudo tão novo — mas, com certeza, interessante. Embora estivesse cansado, já comecei a antegozar o dia seguinte, pois tinha certeza de que o homem voltaria.

No dia seguinte, estava eu sentado à minha escrivaninha, com os olhos postos na porta, determinado que me sentia a observar se ele a abriria ou passaria através dela, mas, se alguma coisa de sobrenatural estava na minha expectativa, fiquei desapontado, pois exatamente às 11 horas a porta se abriu sem ruído, da maneira comum, e ele me cumprimentou, tal como eu deveria ter esperado que faria, dizendo apenas: — Bem, está disposto a ouvir mais, ou eu o entediei ontem? — Acho que a minha resposta o satisfez, porque continuou do ponto em que parara.

"O nível de evolução da força da vida, que chega ao animal da selva, está distante do humilde verme como está distante do mundo vegetal. Os próprios animais vivem pela lei natural, que é a da 'sobrevivência do mais forte', e a tônica do reino animal é a da autopreservação. Os animais mais fracos são mortos para servirem de alimento, e o medo em relação à sobrevivência dá colorido às experiências de todos esses animais, desde o dia em que nascem até o dia em que morrem, seja sua morte natural, ou devida à exploração de animais mais fortes, ou, ainda, à bala da espingarda de um caçador. É de admirar, pois, que o instinto predominante em *todos* os animais da selva seja o do medo? Medo dos animais mais fortes e medo do superanimal chamado homem.

"Muitas vidas são vividas pelas almas grupais nos corpos de animais selvagens, já que, nessas encarnações, eles aprendem a importante lição da autopreservação e a necessidade de trabalhar a fim de sobreviver, porque somente a obtenção de alimento para cada um, e para todos os animais, torna-se um dever diário que não pode ser negligenciado. Durante os períodos em que o alimento é escasso, o instinto animal ensina a procurar novas pastagens e a aprender a adaptabilidade, o que manterá a alma em boa disciplina, para quando chegar o tempo em que ela deva emergir como entidade humana separada. O instinto maternal aparece em evidência, pela primeira vez, nesse estágio da vida da alma grupal.

"Eu já disse o bastante para que o senhor compreenda que os animais selvagens representam o topo da espiral que cobre as vidas vividas pela alma grupal do reino animal, porque está pronta para progredir mais, a alma grupal habita corpos que a trazem cada vez para mais perto do reino humano, ao qual deverá passar a pertencer, na plenitude dos tempos.

"Em seu estado selvagem, os elefantes, os burros e os búfalos combaterão selvagemente contra a captura pelo homem e, quando apanhados, só se forem amansados pela bondade é que se tornam domesticados e dispostos a usar seu poder natural no interesse do progresso humano. Mesmo depois de anos de cativeiro, eles raramente se tornam de fato domesticados. Contudo, nas vidas que se seguem, a maior parte deles nascem em cativeiros; por isso o ambiente em que vivem desde o nascimento ensina-lhes a perder um pouco do medo natural que as vidas passadas produziram neles. Os mais evoluídos entre esses animais são os que formam o gado, porque amiúde são alimentados no estábulo, durante os meses de inverno. E admite-se, geralmente, que o funcionamento da alimentação aos animais tem mais sucesso, no que se refere a ganhar sua confiança e extirpar seu medo natural, de que qualquer outra coisa.

"Lenta, porém seguramente, parte desse medo da raça humana é obliterada e a alma grupal está pronta a passar a seu último estágio no mundo animal, o dos animais verdadeiramente domésticos — o cavalo, o cão e o gato. A alma grupal, que no início saíra a buscar experiência sob a forma de aproximadamente dez mil girinos, gradual, porém seguramente, dividiu-se em quantidades cada vez menores, até que nos últimos estágios do reino animal ficou em duas partes apenas: dois cavalos, dois cães e dois gatos.

"Quando a alma grupal alcança o estágio em que é dividida pelo meio, está, realmente, domesticada, e chega a compreender o que o homem de fato é. Então, a possibilidade de se individualizar como um ego humano separado torna-se um fato. O número de vidas que ainda têm de ser vividas por essa alma grupal depende, inteiramente, dos seres humanos aos quais esses animais estiverem ligados. Se um dos dois possuidores desses cavalos, cães ou gatos *não* amar os animais, e dispensar, portanto, ao animal um tratamento pouco amigo, ou cruel, um pouco do medo que nas últimas vinte vidas tinha sido extirpado em parte voltará, e mais vidas terão de ser vividas antes que a individualização tenha lugar. Não posso enfatizar com demasiada freqüência ou demasiada força o fato de que, se as pessoas compreendessem o quanto é importante para elas se fazerem amigas de todos os animais domésticos, realizando a parte que lhes cabe para que esses animais compreendam o homem, então esse último estágio seria alcançado muito mais rapidamente do que, com muita seqüência, acontece.

"Por favor, compreenda isso claramente: *nenhuma alma grupal pode individualizar-se como alma humana enquanto o medo da raça humana não tiver sido dominado.* O amor não é uma emoção relacionada apenas com o reino humano: em sua mais alta forma abrange toda a Natureza, portanto a parte do homem na evolução animal é ver que, no verdadeiro sentido, 'o perfeito amor expulsa o medo', porque, sem um auxílio compreensivo, o progresso dos animais no caminho da evolução pode ser retardado por um ilimitado período de tempo.

"Como, afinal, surge a evolução? Pode acontecer de dois modos, ou de um só modo — tanto através do caminho do coração como da cabeça, o que varia segundo o tipo do animal. Podemos dizer que um cão passa com maior freqüência ao reino humano através do amor, e/ou do sacrifício de sua vida para que a alma grupal se individualize. Depois que um cão aprendeu todas as lições que lhe cabia aprender no reino animal e depois que todo o medo da raça humana foi extirpado, seria um desperdício de tempo para a alma grupal continuar sob a forma animal por mais algumas encarnações. Seu destino, então, está em outro lugar, e assim tem chegado o momento da transferência para uma nova e mais esclarecida esfera de existência.

"A primeira encarnação num corpo humano não é passada necessariamente num corpo tão pouco desenvolvido, como acontece com os mais baixos tipos humanos que estão sobre a Terra, porque, amiúde, o novo ego, através de muita experiência, obtida em suas últimas vidas no reino animal — especialmente aquela em que deu sua vida pela de um ser humano —, adquiriu o direito a um corpo humano ligeiramente mais desenvolvido que os dos tipos menos desenvolvidos encontrados no mundo.

"Um cavalo individualiza-se de maneira semelhante à do cão — pela notável dedicação a seu dono. Muitas vezes se ouve contar a respeito de um cavalo que fez estupendo esforço, quando chamado a isso, apenas para tombar morto quando esse esforço é bem-sucedido.

"Enquanto um cão e um cavalo passam para o reino humano através da devoção e/ou do sacrifício, o gato ganha o direito de viver como entidade mais alta aprendendo a compreender o homem. Nos velhos dias, muitos filósofos disseram que o cão e o cavalo ganhavam o direito ao progresso através do devotamento, enquanto o gato emprega a ardilosidade, que é a primeira centelha da faculdade da razão.

"Podemos ver exemplos de elefantes, treinados para servir ao homem, e de macacos que viveram nos tipos certos de jardins zoológicos, e que, obviamente, qualificam-se a esse respeito. Em ambientes despidos de medo, usaram seu cérebro e, assim, podemos dizer que compreenderam, dentro de limites mínimos, as maneiras do homem. Os animais que não tiveram vida como animais domésticos, passam para as formas mais baixas do corpo humano conhecidas no mundo. Por outro lado, a alma grupal de muitos cães, altamente evoluídos, deixa de habitar os corpos das mais baixas formas de vida humana conhecidas, e nasce em corpos de um tipo mais evoluído de homem — provavelmente como membros de tribos que serviram à humanidade durante gerações.

"Antes de passar para as vidas primitivas da raça humana, com suas tremendas diferenças da vida do reino animal, devo mencionar o caso em que o animal se individualiza como ser humano quando ainda está ocupando o corpo de um animal. A transferência da esfera animal para a humana deve ter lugar quando chega o momento certo, quando todo o medo se foi, e quando o lado amoroso do animal está suficientemente desenvolvido. No caso em que um cão, que seja a metade de uma alma grupal, tenha morrido de morte natural, e quando a segunda metade dessa alma grupal, outro cão, continua viva, embora já não tenha nada mais a aprender, esse cão torna-se um ser humano sob todos os aspectos, menos em sua forma. Sem dúvida, já lhe aconteceu saber de casos em que um cão parecia compreender quase todas as palavras que lhe eram ditas, revelando, com sua misteriosa assimilação dos pensamentos e ações do dono, uma intuição para além do que poderíamos imaginar possível num animal. Um cão assim é, de fato, um "cão humano" — um animal na forma, mas um humano pela inteligência e capacidade de raciocinar e de tomar decisões, pelas quais apenas ele será responsável.

"A principal diferença entre um ser humano e um animal está na faculdade de raciocinar — e, com ela, no dom do livre-arbítrio. Um homem sabe qual é a diferença entre o certo e o errado. Mesmo nos primeiros estágios de sua vida como humano, ele pode tomar suas próprias decisões, enquanto um animal tem de obedecer às leis do mundo animal. Um animal vive pelo instinto e, fora dos limites do instinto, não pode pensar. Um homem pode escolher o caminho do mal, mesmo sabendo que é mal, e contra as forças progressistas que governam o mundo, mas um animal deve agir sempre de acordo com o instinto que o compele à ação — pois essa é a lei."

Mais uma vez não o vi partir, porque minha mente estava demasiado ocupada com essas estranhas idéias. Resolvi escrever tudo o que pudesse recordar sobre essas duas palestras, e cheguei à conclusão de que, em conversas futuras, tomaria notas taquigráficas.

Capítulo 2

— Então, esteve escrevendo o que eu lhe disse? Isso é bom.
Hoje, novamente, não vi meu professor entrar, porque estava relendo as notas que tomara.

— Sim — respondi — , mas como soube o que eu estava fazendo?

— O senhor mesmo me contou, na noite passada, quando estava adormecido e fora de seu corpo — respondeu ele. — Não pretendo explicar-lhe, agora, como foi que o senhor me disse, ontem à noite, que tinha resolvido manter um registro integral das minhas palestras. Quando eu tiver terminado minhas visitas, o senhor compreenderá tudo tão claramente que estará em condições de responder por si mesmo a qualquer pergunta.

Mostrava-se entusiasmado com a minha decisão de tomar notas, e disse-me que seria um prazer acrescentar o que faltasse no meu registro dos últimos dois dias. Reparei que ele não alterou uma só palavra do que eu escrevera, até onde o registro fora, mas passou algum tempo preenchendo os claros que eu deixara, quando eu não fui capaz de me lembrar exatamente dos fatos.

— O senhor deve se lembrar de que eu lhe disse que a tônica do reino animal é a autopreservação. Como é diferente da tônica do reino humano, pois essa é a do auto-sacrifício. Embora esse seja o padrão importante para qualquer vida humana, há outras leis que devem ser compreendidas por aqueles que procuram descobrir os segredos do caminho da evolução. Essas leis são, é natural, diferentes das que governam os animais e, ainda assim, durante as poucas vidas vividas pelo homem não evoluído, ele é mais animal do que homem. Embora tenha se libertado do medo em relação ao homem, ainda persistem nele os hábitos que trouxe do reino animal, quando arrebatava para si o que podia, usando o poder do seu cérebro ou de sua força física.

"A primeira lei importante que influi no reino humano é a lei da reencarnação. Essa lei afirma que um ego, uma vez individualizado, volta e torna a voltar a encarnar-se num corpo físico humano, até que tenha aprendido, pela experiência adquirida em todos os tipos de ambientes, o total das lições que pode absorver sob condições físicas. Quando a força da vida progride através dos reinos vegetal e mineral, essa lei existe em extensão limitada, mas não é muito aparente. No reino animal ela também existe, apenas em extensão limitada, pois ainda não há entidades separadas. Vai se desdobrando, entretanto, durante o período de evolução, depois que o ego se individualizou no reino humano.

"A segunda lei importante, que influi sobre os humanos, embora não influa sobre os animais, é a lei do carma — muitas vezes citada como lei de causa e efeito. No momento em que a alma grupal se torna um ego separado, essa lei passa a agir. A lei do carma decreta que cada pensamento, palavra ou ação que emanem do homem deve produzir um resultado definido, seja bom ou mau, e que esse resultado deve ser trabalhado por nós em nossas vidas no plano físico. Não há nada de injusto nisso, pois, conforme diz o ensinamento cristão, 'colherás o que semeares'.

"De acordo com a lei do carma, um ato egoísta de nossa parte, ato que venha a causar imensa angústia a outra alma, recebe uma unidade de mau carma, que deve ser resgatada por nós, através de sofrimentos oriundos dessa mesma ação, por mãos de outrem, seja nesta vida, seja numa outra depois desta. Da mesma maneira, uma boa ação de nossa parte significa o ganho de uma unidade de bom carma, tendo como resultado o resgate de uma unidade de mau carma que tenhamos criado — o bom compensando o mau — ou a dádiva da mesma quantidade de bondade, vinda de outra fonte. Quando um novo ego inicia suas vidas humanas, o número de ações, pensamentos ou palavras, insensatos ou maus, excedem de muito, naturalmente, os de tipo benéfico e, se a lei funcionasse literalmente, o homem levaria uma existência de permanente sofrimento e angústia, causados, inteiramente, por suas próprias ações, palavras e pensamentos, cada um deles produzindo seu justo resultado. Tal vida seria intolerável, impossível de se suportar. O suicídio depressa se tornaria um hábito, entre as almas jovens. Método mais humano é adotado, contudo, e, de acordo com isso, pretende-se que, em qualquer vida, um homem não sofra mais do que pode suportar. E as unidades de mau carma, criadas por ele nessa vida, através da inexperiência, e que não tenham sido resgatadas ou desfeitas por unidades similares de bom carma, são levadas adiante, para que funcionem em vidas futuras. O resultado dessa disposição é que durante as primeiras duzentas ou mais encarnações o homem aumenta o que se pode chamar seu saque a descoberto de um banco. Mas durante todo esse tempo ele estará desenvolvendo o que se chama a voz da consciência. Enquanto essa pequena voz vai sendo construída através da experiência que o ego respiga em seus diferentes corpos humanos, ela não chega a influenciar de modo apreciável durante muitas vidas.

"Aqui temos um exemplo: um homem não evoluído, pouco sabendo dos métodos humanos, porém muito dos métodos animais, deseja possuir algo que pertence a outrem. Seu instinto animal é o de tomar, pela força, o que deseja. Se é forte o bastante, tenta fazer isso, e o resultado é uma luta, na qual outro ser humano é morto. As leis que governam os homens entram em ação, o assassino é preso, julgado e condenado à morte. O reservatório de conhecimento, que existe em nível mental mais alto, anota o resultado dessa ação e, numa vida *futura,* quando o mesmo homem, num corpo diferente, desejar possuir algo que é propriedade de outrem, a voz da experiência — sua consciência — o adverte de que, *se* matar seu inimigo, ele próprio sofrerá o mesmo destino, às mãos do Estado. Dessa forma, gradualmente, o reservatório de conhecimento vai sendo formado, cada acontecimento importante na vida vivida vai sendo registrado com o propósito de se fazer advertência, na próxima vida. Através dessa simples explicação, podemos facilmente compreender que o homem, portador de uma consciência sensível, e que sabe ouvi-la, deve ter uma alma antiga, porque não poderia ter consciência suficiente, a não ser que possuísse muita experiência, vinda de existências anteriores, durante as quais sua consciência, ou reservatório de conhecimento, foi formada.

"Durante talvez duzentas vidas, cada vida produz mais unidades de mau carma do que de bom carma. Parte desse mau carma é resgatado através de sofrimento e infortúnio, mas o saldo é transferido para o saque a descoberto. À proporção que o ego se torna mais evoluído (realmente mais experiente) o senso comum ensina-lhe que o mal produz distúrbios para ele próprio, enquanto as boas ações, os gestos benevolentes, resultam em felicidade e no acúmulo de amigos. Dessa maneira, ele evolui para um estágio em que o número de unidades de mau carma, feitas numa só vida, é excedido pelo número de unidades de bom carma, obtidas através de boas ações. Isso constitui-se num estágio muito importante no desenvolvimento de um homem, porque, desse ponto em diante, ele passa a ser um membro realmente valioso e útil para a sociedade.

"Em todas as suas futuras vidas, antes que uma nova encarnação comece, pequena porcentagem de seu saque a descoberto é designada para que ele a resgate naquela vida, e tal cota *deve* ser paga, além do pagamento de qualquer nova unidade de mau carma que seja criada naquela nova vida. Atos positivos de bondade proporcionar-lhe-ão muita felicidade e o ajudarão ao longo do caminho.

"Em métodos tais como esses, todas as leis naturais podem ser vistas como que encaixadas umas nas outras, assim como as peças de um quebra-cabeça. Minha tarefa é apresentar-lhe as peças desse quebra-cabeça, e, com elas, afinal, o senhor deverá aprender a formar um quadro.

"A fim de que possa compreender como é possível aos membros do reino humano adquirir toda a experiência necessária, quero que aceite as seguintes proposições:

1. O homem é um ego e, no curso da evolução, a partir do estado não desenvolvido, que é o selvagem, para o do homem perfeito, tem de usar três veículos de consciência ou corpos. Esses corpos são conhecidos como o mental, ou corpo mental, o astral, ou corpo astral ou corpo emocional, e o corpo físico. Este último é aquele no qual o senhor e eu estamos funcionando, e que é visível aos olhos humanos.

2. Que esses três corpos são usados por nós quando funcionam em três diferentes estados de consciência, que são: o plano mental, o plano astral e o plano físico.

3. Que a sede do ego, em torno do qual se exerce a atração sobre esses corpos, é a parte superior do mundo mental, conhecida como nível causal.

"Quando o ego parte do nível causal para uma nova encarnação, tem que ter um de cada um daqueles corpos. Desejo que visualize o ego como um homem despido que se prepara para se vestir com suas três coberturas ou corpos. O menos denso em tessitura é o corpo mental, e o ego o atrai a si tirando-o da matéria de que o mundo mental é construído: podemos compará-lo às roupas íntimas de um homem. O tipo de corpo mental que cada homem recebe está de acordo com o seu desenvolvimento mental, ao *fim* de sua última encarnação. Assim, é óbvio que o corpo mental de um homem não evoluído é muito diferente do que pertence ao ser evoluído, a uma alma antiga, que já teve muitas vidas e ganhou muita experiência. A seguir, o ego atrai para si um veículo ligeiramente mais denso, feito do material do mundo astral. Esse corpo fica, por assim dizer, por cima ou por fora do corpo mental, e o tipo desse corpo também estará de acordo com o desenvolvimento emocional do homem. O corpo astral pode, portanto, ser comparado ao terno que o homem veste. Um corpo, ainda mais rústico e mais denso, faz-se necessário agora e, para obtê-lo, será forçoso que um corpo seja encontrado através de meios físicos, no nível físico. Em outras palavras, uma mulher, com a assistência de um homem, produz uma criança. Esse corpo físico novo também está de acordo com os merecimentos do homem, merecimentos que seu carma formou em vidas anteriores. O corpo físico corresponde ao sobretudo do homem.

"Assim, cada homem que é visto no nível físico é, por assim dizer, o usuário de três corpos, um sob o outro. Devido, porém, à densidade do corpo externo, o físico, é impossível ver os outros dois. Quando um homem morre, tudo quanto acontece é que ele abandona o corpo físico — o seu sobretudo. O homem ainda está ali, vestido com seus corpos astral e mental. O astral, sendo o mais denso, está na parte externa, e o mental fica sob o astral. Antes que eu explique o que realmente acontece depois da morte, devo falar um pouco mais sobre esses corpos.

"O corpo físico, que todos podemos ver, é composto de matéria razoavelmente densa, mas há, também, uma parte menos densa desse corpo, chamada duplo etérico (no antigo Egito referiam-se a ele como Ka) que tem parte muito importante, tanto durante a vida como no momento da morte do corpo físico. Não é um corpo, no sentido comum da palavra, pois não podemos viver nele, como podemos viver em nosso corpo físico. Não podemos sequer vê-lo, a não ser que tenhamos desenvolvido a forma mais baixa de clarividência, que é a chamada visão etérica.

"A matéria de que é composto o corpo etérico também rodeia nossos nervos. Há um conceito de eletricidade que afirma que a corrente não corre ao longo do fio elétrico, mas ao longo de uma cobertura de matéria etérica que o rodeia. Isso também é verdadeiro no que se refere à ação dos nervos do nosso corpo. A corrente nervosa não corre, realmente, ao longo do fio branco do nervo físico, mas ao longo do revestimento de matéria etérica que o rodeia, de forma que quando esse revestimento é removido do nervo físico não sentimos qualquer sensação. É o que tem acontecido quando se usa um anestésico. No caso da anestesia local, a matéria etérica, que conduz a sensação, é afastada para uma curta distância desse nervo em particular. O nervo branco ainda está ali, claramente à vista. Contudo, quando cortado, o paciente nada sente. Se é usado um anestésico mais poderoso, tratando-se de operação de maior importância, que exige que o operado fique inconsciente e privado de sensações por considerável espaço de tempo, a matéria etérica é quase que inteiramente retirada do corpo denso. Se for inteiramente retirada, o paciente morre. É o que tem acontecido quando o paciente morre, ocasionalmente, ainda sob o efeito de um anestésico. Um pouquinho a mais foi administrado, e isso expulsou a matéria etérica, que não pôde retornar.

"Essa matéria etérica, de tessitura diáfana e extremamente elástica, e que é parte tão importante do corpo físico, tem outra função. Atua como ligação ou elo entre o corpo físico e o corpo astral durante o sono. Quando o senhor, por exemplo, o ego, desembaraça-se do seu corpo físico, deitado numa cama, um cordão de matéria etérica, ligado ao seu corpo astral, mantendo seu maior volume dentro e em torno do corpo físico, se estica à proporção que o senhor viaja para qualquer parte do mundo que deseje. Contudo, por mais longe que vá, esse elo físico com seu corpo, que ficou na cama, permanece. Chegando o momento em que seu corpo deve acordar, um S.O.S. é enviado ao longo desse cordão etérico até onde o senhor estiver, e deverá retornar ao corpo físico, reentrando nele. É quando o senhor "acorda", e vai tratar de seus deveres em outro nível.

"Quando vai dormir, o senhor, o ego, desliza para fora do corpo físico, no momento em que ele perde a consciência: o senhor está revestido de seu corpo astral e vivendo no mundo astral, sob as condições do plano astral. É livre para ir onde deseje, deixando seu corpo físico na cama, onde ele fica repousando e ganhando forças para o trabalho do dia seguinte. É apenas o limitado corpo físico que exige repouso, da mesma maneira pela qual exige alimento e bebida, a fim de sustentar sua saúde e sua vida. O senhor, o ego, não precisa de repouso. Em seu corpo astral pode mover-se muito facilmente, e viajar a longas distâncias. No nível astral a força da gravidade não existe; portanto o senhor pode deslizar ao longo do percurso, e não faz diferença se é terra ou mar o que está cruzando, pois não é afetado por uma coisa nem pela outra. A distância que pode percorrer nas poucas horas em que o corpo físico fica em repouso é mais ou menos ilimitada. Se eu lhe disser que pode viajar em torno do mundo em cerca de dois minutos e meio, isso lhe dará alguma idéia da velocidade que pode ser alcançada.

"O corpo astral, composto de matéria muito mais fina do que a física, é atraído para rodear o ego quando este desce, a fim de se reencarnar. Enche o que chamamos o corpo causal, formando um ovóide de névoa luminosa. O corpo físico, entretanto, sendo mais denso, tem uma atração muito forte para a matéria astral, e chama-a para mais junto de si, de forma que temos uma reprodução astral da forma física, no centro desse ovóide, e daí ser o corpo astral tão reconhecível como o corpo físico, apenas se mostrando construído de matéria mais fina. Quando o corpo físico morre, já não há necessidade de que o corpo astral se adapte. Assim, a tendência dele é permanecer tal como era quando o corpo físico deixou de existir, e não cresce mais. O motivo disso é ser o corpo astral um veículo desprovido de órgãos, de ossos, de carne e de sangue, como acontece com o corpo físico, sendo, antes, constituído como um corpo feito de névoa.

"Durante a existência, o homem tem oportunidade de viver sob as condições do plano astral, sempre que seu corpo estiver adormecido, mas, na realidade, é apenas o homem, cuja situação evolutiva está acima da média, que tira proveito dessas oportunidades. A alma jovem, o ego não evoluído, sai certamente do corpo que adormece — não poderia deixar de sair — mas sua inteligência (corpo mental ou mente) não está suficientemente desenvolvida para lhe fornecer a quantidade de conhecimento necessário a fim de que ele possa usar de todas as suas faculdades em maior extensão. Assim, habitualmente, ele fica flutuando junto do corpo adormecido, esperando pelo chamado que o levará a reentrar nele, quando já dormiu o bastante e deseja acordar — e, portanto, nunca poderá acostumar-se às condições do plano astral, da mesma forma com que o faz o ego mais velho. Quando um homem desse tipo morre, e já não tem seu corpo físico, sente-se num mundo completamente estranho. Há ocasiões, imediatamente depois da morte, em que tal homem deseja, ardentemente, a vida física que ele conhece, mas nada pode fazer para retornar a ela — pois desde que a matéria etérica foi afastada de um corpo físico não pode voltar a ele.

"A morte do corpo físico é causada por vários motivos: doença, quando o corpo sente que não pode realizar suas funções como devia; velhice, quando o corpo está gasto; acidentes, nos quais partes vitais do corpo foram lesadas irremediavelmente. Em todos esses casos a parte etérica do corpo físico foi forçada a deixar a parte densa, apenas porque o corpo denso não pode continuar a realizar com propriedade suas funções e, sem esse corpo, o duplo etérico não pode viver. No momento da morte, quando o coração pára de bater, o duplo etérico registra medo extremo, e envolve-se, pela parte externa, no corpo astral, no qual o homem que acaba de morrer já está de pé, tendo sido forçado a deixar o corpo quando a morte veio. A parte etérica do corpo físico sabe que a morte da parte mais densa significa também a morte para ela própria, e, em seu desejo de continuar existindo, agarra-se ao corpo astral do homem, na esperança de sobreviver por mais tempo. Por um esforço da vontade, o homem pode facilmente livrar-se desse empecilho. Enquanto não fizer isso, fica suspenso entre dois mundos da consciência. Não pode agir no plano físico, pois perdeu seu corpo físico, e não pode agir apropriadamente no plano astral, porque a matéria etérica que a ele se prende torna-lhe impossível ver ou ouvir claramente.

"Os homens que temem a morte, recusam, com freqüência, fazer o necessário esforço de vontade que os amigos vindos ao seu encontro, do outro lado, pedem-lhes que façam. Agarram-se às partículas remanescentes da matéria física, na esperança de continuarem sua existência física, sendo essa a única que *conhecem*. É claro que não adianta lutar, porque, mais cedo ou mais tarde, eles terão de se convencer, e farão o esforço de vontade que mencionei. Resistir ao inevitável significa apenas ficar suspenso entre dois mundos por mais tempo além do necessário. O homem que durante a existência adquiriu algum conhecimento sobre a morte, através do estudo de assuntos cognatos, imediatamente sacudirá de si esse empecilho, tornando-se livre e iniciando sua vida naquilo que eu talvez possa chamar de condições astrais permanentes. Digo 'permanentes' porque agora, tendo perdido o corpo físico, e não recebendo outro enquanto não chegar a ocasião propícia para uma nova encarnação e passagem de outro curto período de tempo no mundo físico, ele viverá sob as condições do plano astral, tanto durante o dia como durante a noite. Assim que é feito o esforço da vontade para repelir o duplo etérico, a matéria etérica se desprende e começa a se desintegrar, de forma bastante parecida com o que acontece ao corpo físico. Contudo, enquanto podem passar-se meses ou anos antes que a desintegração do corpo físico se complete, sua parte etérica, sendo muito mais fina e mais leve, retorna ao pó quase que imediatamente. Agora, não tendo mais o corpo físico ligado a ele, o ego veste-se com seu corpo astral, e funcionará nesse corpo enquanto permanecer no mundo astral.

"O mundo astral é o mundo das emoções e das ilusões. É composto de matéria mais fina do que qualquer gás que conheçamos, na qual há vários graus de densidade. O corpo astral é o veículo das emoções. As emoções são causadas por vibrações da matéria astral. O que se conhece como emoções mais altas — o amor, a gratidão, o altruísmo e outras desse gênero — mostram-se à visão do clarividente como vibrações de matéria mais fina, enquanto as emoções mais baixas — a avareza, a inveja, o ciúme, o amor egoísta (análogo à paixão), o orgulho, e outros — mostram-se como vibrações de matéria relativamente muito mais rústica ou densa. Tal como o homem é antes da morte, será depois da morte, apenas sem seu corpo físico e sem as limitações do mundo físico. Suas virtudes e vícios permanecerão os mesmos, mas, devido à natureza fluídica do corpo astral, tornam-se forças de grande bem ou de grande mal. Assim, um sentimento de ligeiro antagonismo, no plano físico, torna-se puro ódio ali, com desagradáveis resultados para ambas as partes, enquanto uma afeição branda chamará a si recíproca oferenda de amor, produzindo extraordinária atmosfera de harmonia e paz. Sendo o mundo astral o mundo da ilusão, não há necessidade de usar o tempo ou o trabalho, tal como são usados no mundo físico. Tudo — roupas, alimento, etc. — é produzido pelo pensamento. A vida, ali, pode ser um longo feriado. Podemos nos devotar ao que quer que realmente desejemos fazer, e nos entregar a passatempos inteiramente conformes ao nosso desejo. Não há limitações que nos impeçam de adquirir mais conhecimento, no sentido de não haver tempo suficiente para estudos, nem inibições causadas por fraqueza da vista ou cansaço do corpo. Nada há no corpo astral que se canse.

"Enquanto nossos corpos físicos dormem, funcionamos no nível astral, em nossos corpos astrais, e ali nos encontramos com amigos e parentes que morreram. É loucura, portanto, tentar esquecer essas pessoas durante o dia, porque elas estão em torno de nós, sendo a única separação a limitação da consciência. É uma pena, sob vários aspectos, que tão poucas pessoas se recordem do que fazem durante a noite. Se o fizessem, sentir-se-iam muito menos perturbadas pelo estado chamado morte — e os maldosos rumores que circulam sobre o inferno e a danação eterna não teriam maior efeito sobre elas do que o ogre dos livros de histórias infantis sobre o leitor adulto.

"Poucas são as pessoas, no mundo físico, que compreendem que o homem médio passa a maior parte de seu tempo trabalhando num escritório, numa oficina, na terra, ou em qualquer ocupação que não teria escolhido, não fosse a necessidade de ganhar dinheiro para o que comer, para o que beber, para as roupas — tanto para si próprio como para os que dele dependem. E talvez seja bom que tão poucas pessoas compreendam isso, já que de outra maneira viveríamos todos extremamente descontentes. Isso seria um obstáculo à nossa evolução, e produziria perturbações por toda parte. Apenas alguns poucos e afortunados homens podem ganhar a vida fazendo o que mais gostam de fazer. Um pintor ou um músico, embora recebam vultosa herança, continuarão com seu trabalho, porque em geral o trabalho é parte deles, e torna-se um prazer.

"Vou traçar-lhe um esboço geral das condições existentes no plano astral. Para o homem que durante a existência em pouco mais pensou do que além de seu negócio, a próxima existência tende a ser monótona, de início, especialmente se ele tiver o hábito de amar o dinheiro por amor ao dinheiro. Dinheiro é coisa puramente física, e inútil no plano astral. Esse tipo de homem terá de desenvolver outros interesses, se quiser ser realmente feliz no outro mundo. Entretanto, se um homem gostou muito de música durante a existência, gostará dela depois da morte, e encontrará muitas oportunidades de satisfazer os desejos que não pôde satisfazer antes. Se o desejar, o amante da música pode passar todo o seu tempo ouvindo a mais bela música que o mundo pôde produzir. A distância já não é limitação: ele pode ouvir uma ópera em Londres, durante algum tempo e, então, com a diferença de apenas um minuto, pode estar ouvindo outro espetáculo musical em Nova York ou na Austrália. Pode conhecer os grandes músicos do passado — a não ser que eles já se tenham reencarnado. Pode ver as poderosas formas-pensamento que a música do plano físico produz na matéria mais fina do plano astral. Mesmo que durante a existência física ele não tivesse tido possibilidade de tocar um instrumento, agora pode produzir música usando a imaginação. No plano físico há muitas pessoas capazes de imaginar belas passagens musicais, embora sejam incapazes de se expressar, em conseqüência da falta de conhecimentos técnicos. No plano astral todas essas pessoas realmente se tornam dignas de inveja, pois seu ardente desejo natural para as coisas não depende do auxílio de condições puramente relacionadas com o plano físico.

"Para o homem apreciador da arte, todas as obras-primas do mundo estão à sua disposição, quer em galerias de arte, quer em coleções particulares. Há muitos amantes da arte que desejaram, por muito tempo, ir a Roma. Pense nas horas deleitosas que eles terão, devorando os trabalhos de arte que só lá existem. Poderão conhecer artistas do passado, e não se deve supor que esses artistas tenham perdido o interesse pelo seu trabalho apenas porque morreram. Longe disso. Agora, eles criam belas formas-pensamento, porque não precisam mais depender do uso de pincéis e telas para expressar sua arte. Esse foi o único método de expressão que usaram no mundo físico, mas, depois da morte, as formas-pensamento que eles criam são como as pinturas aqui, da mesma maneira visíveis, e muito mais belas. Muitos artistas deste mundo têm declarado que se sentem sempre insatisfeitos com seu trabalho, quando o terminam, mesmo quando o mundo aplauda seu gênio. Dizem, com freqüência: "Se eu ao menos pudesse expressar na tela exatamente o que a minha imaginação pinta. Mas isso nunca chega a ser feito de maneira exata." No plano astral, as pinturas criadas são, exatamente, o que os artistas sentem, e, assim, nesse plano, suas criações são *mais* belas do que as mais belas pinturas que se encontram no mundo. Os amantes dos livros também passam horas felizes, pois as bibliotecas do mundo estão abertas à sua inspeção.

"Como exemplo do que acontece a um homem depois da morte, tome um tipo de pessoa que vive inteiramente para o plano físico da vida. Não quero, com isso, referir-me a coisas más, ou dizer que essa pessoa tenha muitos vícios. Pelo contrário, talvez se trate de um homem extremamente popular durante a sua existência, sempre rodeado por uma legião de amigos, e pessoa a respeito da qual geralmente se fala bem. Seus prazeres consistem, provavelmente, em viver bem, em ir a teatros, a bailes, etc., e fazer as mil e uma coisas necessárias para compor a vida do que se chama "um homem de sociedade". Indubitavelmente, é bem-sucedido nos negócios e considerado marido modelo, mas, seja como for, sua vida — tanto nos negócios como nos prazeres — depende de coisas físicas, coisas que só podem ser obtidas no plano físico. Há muitas pessoas assim, como qualquer um pode verificar, olhando a seu redor.

"Depois da morte, um homem desse tipo vai se sentir, provavelmente, muitíssimo entediado, e não terá, praticamente, nada a fazer. Depressa compreende que criar formas-pensamento de bons jantares e complicados negócios torna-se um método muito insatisfatório de matar o tempo, quando não há resultados físicos. Não obtém satisfação física, aquela a que estava habituado depois de um bom jantar com vinhos escolhidos, embora possa imaginar, e mesmo apreciar, o sabor das iguarias e vinhos que costumava sentir na Terra. Torna-se impossível, para ele, sentir, após beber álcool, o mesmo resultado que sentia durante sua existência, por mais que beba, e a sensação de repleção que se segue a um bom jantar, no plano físico, está inteiramente ausente quando se trata de uma "refeição" astral. Também não consegue muita satisfação através de transações comerciais produzidas por sua imaginação, já que não pode usar o dinheiro assim ganho, pois no plano astral as coisas não podem ser compradas nem vendidas. Pode criar formas-pensamento de quantas moedas de ouro quiser, mas que irá fazer com elas? Nada! Ele pode ser comparado a alguém que sofreu um naufrágio e foi atirado a uma ilha deserta, onde está rodeado de tesouros, que seriam inestimáveis para ele se os pudesse transportar para um país civilizado, mas que se tornam inúteis num lugar onde não há compradores, nem nada que possa ser comprado. O homem da ilha deserta tem uma vantagem sobre o homem do plano astral, já que lhe fica a possibilidade de ser salvo, podendo retornar a seu país com o tesouro recém-descoberto. O homem "morto" não tem essa esperança, porque, quando volta a este mundo, vem como criança, sem outras posses a não ser a experiência ganha em vidas anteriores, experiência armazenada pelo seu eu superior no reservatório de conhecimento que, à proporção que vai evoluindo gradualmente, é trazida cada vez mais para o plano físico. Insatisfação semelhante é sentida no que se refere aos esportes habituais. É muito provável que esse homem jogasse golfe. Pode ainda jogá-lo, se assim o quiser, em sua nova vida, mas depressa se cansará, porque sempre irá acertar o ponto exato que tem em mente no instante em que aciona a bola. Cada partida jogada é uma partida perfeita, jamais diferente da que foi jogada antes. Cada *putt* encaixa automaticamente a bola, pois o jogador faz uma forma-pensamento do que deseja realizar, e a fluídica matéria astral obedece de imediato, dando forma ao pensamento que a mente expressou. É fácil imaginar quanto, e bem depressa, uma partida assim se pode tornar enfadonha, e quanto é diferente das partidas jogadas no nível físico, onde num dia se pode jogar como um mestre, e no dia seguinte mostrar-se pouco melhor do que um coelho. A incerteza fazia o encanto do jogo, e essa incerteza já não existe no plano astral.

"Considere um homem que durante toda a vida aprendeu que o fogo do inferno e a danação eterna constituem a sina dos que não alcançaram o padrão de perfeição exigido. Depois da morte, a dificuldade para se libertar desses pensamentos faz com que ele passe por muita angústia. Sente-se continuamente torturado pelo pensamento de que o estão enganando, embora lhe assegurem que essas crenças não são verdadeiras. Até que consiga descartá-las, não conseguirá instalar-se em sua nova vida, onde há tanto que ver e tanto que aprender.

"Há outros que são infelizes porque ao contemplar, daquele plano mais alto, sua vida física, compreendem quantas oportunidades desperdiçaram. A isso reagem de maneira diferente. Alguns ficam repletos de remorsos; outros, mais sensíveis, decidem não perder oportunidades numa próxima vez. Encontramos, ainda, o homem que manteve esposa e uma grande família, antes da morte. Provavelmente, não tomou as disposições adequadas em relação a eles, e fica preocupado, pensando no modo como irão se arranjar. Isso é muito natural, mas, infelizmente, também é uma tolice. Tendo deixado o corpo físico, ele não tem mais qualquer responsabilidade no nível físico. Não há preocupação que possa se constituir em auxílio prático, e isso provoca, nos que ficaram, uma reação que os torna mais deprimidos do que seria necessário. Esse homem estará aumentando a perturbação dos seus, em lugar de diminuí-la, e só surgirá uma solução para o problema quando ele compreender que aqueles que deixou são egos separados, cada um esgotando seu próprio carma, e que, provavelmente, as dificuldades pelas quais estão passando constituem uma oportunidade de resgate para parte do mau carma que são obrigados a esgotar naquela existência em particular.

"Há pessoas, neste mundo, que sempre arranjam aborrecimentos para si próprias, preocupando-se com coisas sobre as quais não têm controle, ou sendo pessimistas quanto ao futuro — sempre se sentindo seguras de que o pior irá acontecer. Depois da morte, essas pessoas continuam as mesmas, sentindo-se deprimidas e irradiando depressão onde quer que estejam. Infelizmente, pessoas com essas idéias depressivas continuam a juntar-se umas às outras, como fizeram no plano físico, e ainda acreditam no que acreditavam antes, embora o erro esteja, por assim dizer, diante de seus olhos. Mais cedo ou mais tarde, homens desse tipo são levados a compreender a própria insensatez, através daqueles que estão sempre alertas para as oportunidades de prestar auxílio nesses casos tristes. O novo mestre, abrindo claros para retirar o que havia de condenável nessas mentes, deve preenchê-los, e, para isso, oferece-lhes algo mais razoável, mais confortador — algo que explica não apenas o presente, mas o passado e o futuro.

"Nunca rejeite uma idéia porque ela lhe é estranha; ouça antes todos os lados da questão e tire suas próprias conclusões. Sua mente poderá tornar-se caótica, por um tempo, mas, a partir desse caos, poderá encontrar a luz, a luz que há de colocar seus pés no caminho que o levará, finalmente, ao conhecimento, à sabedoria do homem perfeito. Livre-se das idéias de recompensa e castigo. Não há recompensa, não há castigo, mas há o resultado, há a causa e o efeito e a Lei tanto atua nos planos mais altos como aqui, no plano físico. Tal como vivemos agora, e como somos agora, viveremos e seremos do outro lado da morte. Nossa vida, então, será condicionada pelos pensamentos de que nos rodeamos enquanto aqui estivemos. Portanto, interessemo-nos de um modo inteligente por coisas mais altas, pela ciência, pela arte, pela música, pela literatura e pelas belezas da natureza. Assim, no próximo mundo teremos vida feliz e estaremos em condições de gozar de oportunidades que serão inúteis para nós, se não estivermos preparados para essa nova vida."

Capítulo 3

— Ontem comecei a dar-lhe um breve esboço das condições existentes no plano astral e continuaremos na mesma linha, hoje.

"A teoria da grande Igreja de Roma declara, muito rústica e resumidamente, que depois da morte os irremediavelmente maus caem de imediato num inferno eterno, enquanto os santos verdadeiramente grandes vão, sem tardança, para o céu. O homem comum, nem muito bom nem muito mau, precisa de um estágio, longo ou curto, numa condição intermediária — chamada Purgatório — na qual suas faltas serão eliminadas. Como eu já lhe disse, não há inferno eterno — nem poderia haver, se não por outro motivo, ao menos porque uma causa finita jamais pode produzir resultado infinito — e os que passam para o plano astral com um medo desses em suas mentes atravessam um estágio inicial difícil. Há um pouco mais de fundamento no que se refere aos santos verdadeiramente grandes, porque há um estado chamado o mundo do céu, e é muito possível que uns poucos santos muito grandes deslizem, rapidamente, através do mundo intermédio, o astral, e passem diretamente para o mundo mental, a fim de ali continuarem sua evolução. Para a grande maioria das pessoas, não existe esse problema de ir para o céu ou para o inferno. Sua maneira de progredir é passar por dois estados, o mais baixo dos quais é conhecido como purgatório, e é com o purgatório que eu quero começar hoje.

"A doutrina católico-romana do purgatório, como um estado intermediário no qual as faltas são eliminadas através de um processo bastante doloroso — simbolizado pelo fogo que queima — tem muita verdade em si, mas é inteiramente despojada de sua dignidade pela ridícula teoria das indulgências, sugerindo que se pode comprar a fuga a esse inconveniente estágio sem aprender as lições para cujo aprendizado ele existe. Não há, é óbvio, possibilidade de que isso aconteça. Não há milhões, em dinheiro, que possam fazer a mais leve diferença no que acontece a um homem depois da morte. O dinheiro pode ajudá-lo a fugir às leis do plano físico, durante sua existência. Depois que ele deixa este mundo, porém, o dinheiro perde seu valor, e se amigos e parentes que permanecem no mundo o gastarem com essa intenção, só o estarão desperdiçando. Sempre me pareceu coisa ridícula sugerir que o dinheiro possa desviar a lei da Natureza. Não podemos desviar a lei da gravidade oferecendo-lhe dinheiro, nem se pode afastar a lei da justiça divina subornando-a com velas, orações e oferendas.

"Esse purgatório, tal como é chamado — e com muita propriedade, pois se trata de um estado de consciência onde teremos de adquirir grande refinamento e melhora — fica situado nos mais baixos planos do mundo astral, lugar para onde o homem vai imediatamente depois da morte. Trata-se de uma região onde ele é depurado da cegueira, desejos mais baixos, que o tornariam indefinidamente ligado a seu corpo de desejos. A evolução exige que ele se transfira para regiões mais altas e, para que possa conseguir isso, passa através das esferas em que vai sofrer as mesmas dores que infligiu a outras pessoas durante a vida física — através da desonestidade, da crueldade, etc. Com o tempo, e pelo sofrimento, ele aprende a importância da honestidade, da justiça, da tolerância, etc. Na encarnação seguinte ele nascerá livre de pecado — embora a tendência a sucumbir aos mesmos desejos ainda esteja presente nele. Cada ato mau que cometa nessa nova vida será por obra de seu livre-arbítrio. Um homem continuará dessa maneira até que aprenda, através de amargas experiências depuradoras, que deve praticar a tolerância e o bem em relação aos demais, sem se importar com a forma pela qual será retribuído. Certas leis eternas foram estabelecidas, e precisamos tentar entendê-las como tal. Se não houvesse leis da Natureza, depressa estaríamos em condições caóticas, sem que de nada pudéssemos depender. Mas *há* leis na Natureza, e essas leis são a expressão da Vontade Divina.

"Tentarei explicar o que acontece no purgatório, dando-lhe alguns exemplos. O exemplo que sempre é dado em primeiro lugar, porque é o mais facilmente compreendido, é o caso do homem que cedeu, em excesso, à maldição da bebida — o ébrio. Todos nós sabemos o que pode representar a maldição da bebida, sabemos de muitos casos de homens que desgraçaram a própria vida, obrigando esposa e filhos a passarem fome, chegando até a cometer inúmeros crimes, apenas e simplesmente para saciar seu insaciável desejo daquela sensação que a bebida produz. Se alguém bebe apenas para matar a sede, não terá, depois da morte, desejo algum de beber — porque a sede, como a fome, é desconhecida no mundo astral — mas a origem desse desejo não é a sede, mas o *insaciável* desejo de certa sensação agradável. Depois da morte, o mesmo desejo, que o arrastou durante a existência a tão terríveis caminhos, será mais forte do que nunca, mas então, tendo perdido seu corpo físico, não haverá possibilidade de satisfazê-lo. O desejo não pertence apenas ao corpo físico, mas, e principalmente, pertence e é função do veículo do desejo. Os outros nomes do plano astral são "plano do desejo" e "plano emocional", e nesse plano os desejos e as emoções são imoderados. A força integral do desejo despedaça agora o homem que, em seu corpo físico, só sentiu mais ou menos a centésima parte do desejo real. Ninguém negará que isso é sofrimento, mas ninguém poderá dizer, também, que a pessoa está sendo castigada. Tudo quanto aconteceu foi que a lei da causa e efeito foi posta em ação e ela está, agora, colhendo o que semeou. Está sentindo o resultado de suas ações durante a vida que teve, mas não está sendo punida. Cultivou em si própria um desejo e, por isso, sofre. O tempo de duração desse sofrimento pode bem lhe parecer a eternidade, embora se trate, realmente, de apenas alguns dias, semanas ou meses. Até uma extensão muito limitada, ela pode saciar esse desejo através da imaginação. Pode produzir formas-pensamento de bebidas, e imaginar que está bebendo. Pode até imaginar o sabor do líquido, mas não pode produzir o resultado, a sensação pela qual bebeu durante toda existência. O mais próximo dessa sensação a que pode chegar é ir aos lugares onde as pessoas bebem, e inalar, por assim dizer, os vapores do álcool, o que lhe dá uma espécie de satisfação muito limitada. Não consegue muito, mas é alguma coisa, o melhor que pode obter, agora que já não tem seu corpo físico.

"Temos aqui, portanto, o caso de um homem que, se relatasse suas experiências, diria que foi atirado, realmente, ao inferno. Não eterno, naturalmente, mas bastante longo e suficientemente doloroso enquanto durar, a ponto de levar esse homem a sentir que esse período representa a eternidade. O mal é que ninguém pode, realmente, ajudar esse homem, no sentido de evitar que passe por essa experiência. A única coisa que se pode fazer é explicar-lhe, cuidadosamente, o que está acontecendo e por que está acontecendo. E dizer-lhe que a única saída para ele está no libertar-se do desejo, porque enquanto não conseguir lutar e libertar-se, livrando-se dele, o sofrimento deve continuar. Mais cedo ou mais tarde ele compreende isso, e seu estágio no purgatório chega ao fim.

"Tomemos, depois, o caso de um *avarento*, que acumula seu ouro sobre a terra e esconde-o tanto que só ele sabe onde encontrá-lo. Pense no prazer que sente, enquanto vive, quando visita o local onde guarda seu tesouro, e quando, juntando moedas de ouro, ou notas, deixa que elas caiam, uma a uma, de entre os dedos, retornando à pilha que inicialmente fizera. Imagine-o a exclamar, em sua alegria: "Tudo meu, tudo meu, e ninguém tocará nisto, a não ser eu!" Pense, depois, nos sentimentos desse homem quando, do plano astral, vir seu tesouro descoberto, e, provavelmente, gasto sem cuidado por aqueles que tiveram a sorte de encontrá-lo. Ele nada pode fazer, embora, sem dúvida, tivesse pairado em torno dele por muitíssimo tempo, depois de sua morte. Pode ter tentado influenciar os que procuravam seu tesouro, a fim de que fossem para outro lugar e, indubitavelmente, tudo fez para afastá-los da pista. Não conhecia, porém, método algum para se comunicar com eles, a não ser quando estavam adormecidos e, temporariamente, em seu nível. Na maioria dos casos eles de nada se lembrariam, no que se referisse a esses encontros, e, assim, não seriam influenciados pelos seus esforços. Ainda nesse caso ninguém estaria punindo esse homem, embora ele estivesse sofrendo através das emoções incontroladas de *cobiça e avidez*. Ele precisará afastar-se das coisas puramente físicas, se quiser encontrar a felicidade.

"Outro caso muito comum é o do homem extremamente *ciumento*, que pensa amar alguém, quando, na realidade, deseja possuir essa pessoa, de corpo e alma, para sua própria satisfação pessoal. Uma pessoa que ama de verdade ficaria grato, é certo, ao ver o objeto de seu amor receber atenção e admiração por parte de outras pessoas, mas isso não acontece com o ciumento. Tendo sido ciumento durante a existência, continuará ciumento depois da morte, torturando-se, indefinida e inutilmente, ao vigiar, de maneira constante, a aproximação de outros em relação ao objeto de seu suposto amor, odiando essas pessoas e tentando de toda forma influenciá-las, mas percebendo que seus esforços são inúteis. Ninguém está castigando essas pessoas por serem ciumentas. Elas estão, simplesmente, colhendo os resultados de sua própria insensatez, através da incontrolável operação da lei do carma — ou lei da causa e efeito. A única forma possível de ajudá-las é usando o método intelectual de dar-lhes conselhos, tentando mostrar-lhes como estão agindo de modo insensato e explicando-lhes que tudo o que precisam para encontrar a paz é eliminar o *egoísmo* de seu amor, e compreender que ninguém pode possuir outro ego, em corpo e alma, por mais que o deseje.

"Outro exemplo, e termino com o purgatório. Houve ocasião em que um homem de negócios arruinou um de seus concorrentes e, quando criticado por alguns amigos, disse que o tratamento duro era bom para os negócios, que assim havia aprendido e que, futuramente, seu concorrente não desperdiçaria a lição recebida. Realmente, depois de decorridos alguns anos, o homem arruinado se refez e, na verdade, com sucesso maior do que o daquele que o arruinara no passado. O tal homem rude muitas vezes comentava o caso, como prova de quanto tinha estado certo naquela ocasião, pois, de fato, fora o tratamento áspero que dera ao concorrente uma bênção disfarçada. E não pensou mais nesse incidente durante o resto da vida.

"Como tudo lhe pareceu diferente quando a história toda lhe foi mostrada nesse lugar chamado purgatório! Ali ele viu o outro homem, depois de arruinado, voltando para casa e contando à esposa a infelicidade que tivera. Viu, também, que o filho desse homem, que iniciava uma carreira universitária, teve de abandoná-la e aceitar o primeiro emprego que lhe ofereceram, o de um humilde escriturário. O pai recomeçou o trabalho e, como já disse, com o tempo, tornou-se rico. Tarde demais, contudo, para ajudar o filho. Que acontecera ao moço? Ficara amargurado com a trapaça que o Destino lhe reservara, e então, em vez de se firmar em sua nova esfera de atividade, fazendo o melhor que pudesse, meteu-se com más companhias, tentou arranjar dinheiro fácil, através de meios desonestos, e terminou, afinal, na prisão, o que partiu o coração de sua mãe, causando-lhe a morte. A história toda, vista agora em sua perspectiva integral, era uma grande tragédia, e o senhor pode imaginar, facilmente, o sofrimento desse rude homem de negócios, ao compreender que o resultado de sua *ambição*, tão desconsiderada naquela época, causara não só a ruína temporária de um pequeno concorrente, mas também a morte de uma mulher e a ruína da carreira de um jovem.

"Do outro lado, vemos o resultado integral e completo de todas as nossas ações. Poucos, entre nós, deixam de sofrer e de fazer votos para agir de maneira diferente em vidas futuras. A mudança de ponto de vista em relação a essas coisas é o que o purgatório pretende conseguir e, desde que nosso ponto de vista se modifique, nossa experiência no purgatório chega ao fim. Aprendendo inteiramente essas lições, podemos ter a certeza de que, após vidas futuras, nossa passagem pela parte mais baixa do mundo astral será pouco retardada por experiências semelhantes às que citei. Temos que aprender uma lição de uma só vez e, se nosso caráter se modificar daí por diante, evitaremos no futuro muita aflição e angústia temporárias.

"Assim como as experiências astrais do homem médio e do homem abaixo da média padrão estão de acordo com os tipos de vida que tiveram na Terra, as do homem *intelectual*, do homem acima da média, também estão de acordo com seu modo de vida. Essas pessoas passam mais rapidamente através dos níveis mais baixos para os mais altos, onde não só podem continuar qualquer trabalho experimental em que estejam interessados, como reunir em torno de si estudantes que tenham gostos idênticos. Essas reuniões são vastas, freqüentemente: cientistas com seus grupos de estudantes, matemáticos com grupos menores, encontram no mundo astral um plano muito mais apropriado para seu trabalho do que o plano físico, porque agora o espaço em quatro dimensões pode ser estudado, com oportunidade para experimentos. O artista tem seu grupo de discípulos, que tentam imitar-lhe o talento, e o mesmo acontece com os músicos. A essa altura, os músicos é que são realmente felizes, pois têm a oportunidade de ouvir não só a música do mundo, mas a música da Natureza, vinda da música do mar e do vento, a música das esferas — porque *existe* a música das esferas, porque *há* uma canção determinada à proporção que os planetas se movem através de suas poderosas curvas no espaço. Há música e há cor, relacionadas com todo o vasto mundo cósmico, mas, por enquanto, nós compreendemos tão pouco a glória da vida cósmica quanto a rastejante formiga compreende nossa vida, com suas muitas atividades. Um musicista pode conhecer os grandes anjos da música, porque há anjos que vivem para a música, que se expressam através da música, para os quais a música é como a fala para nós. Mais tarde o senhor saberá mais sobre as atividades deles.

"Para o homem de *mentalidade espiritualizada*, que meditou profundamente sobre coisas mais altas, há uma infinidade de beatitudes à espera. Durante sua existência ele teve que se apoiar apenas na fé e em seu próprio poder de raciocínio. Agora ele pode ter a prova das muitas teorias que estudou no mundo, e mal se pode imaginar a alegria e a paz que esse conhecimento traz a um homem assim. Ele esteve lutando nas trevas, e agora, até certo ponto, encontrou a luz.

"O filantropo, que durante a vida teve um pensamento, um objetivo em vista — ajudar o próximo — tem, talvez, a maior oportunidade de todas, pois agora está livre para se devotar, para usar seu tempo a ajudar e a confortar os que necessitam de seus serviços. Se tomar a seu cargo o trabalho especial de ajudar os que morrem, encontrará trabalho para cada minuto de sua vida astral. Durante tempos de guerras, a necessidade desse trabalho é grande, pois os ignorantes são muitos e os ajudantes poucos. Os que se dedicam a esse trabalho, aproveitando uma oportunidade de ouro, conquistarão um carma muito bom.

"Portanto, eu lhe digo: procure saber sempre mais, não apenas para ajudar a si próprio, mas para que, mercê desse conhecimento, possa ficar em condições de auxiliar um irmão angustiado, e para que possa compartilhar do grande esquema da evolução, e ser, como cada homem de pensamento deve ser, guia e auxílio para o ignorante."

— Hoje chego a uma das partes mais agradáveis da minha descrição do mundo astral, porque devo falar-lhe das crianças. E, afinal, não são as crianças que fazem um mundo? Basta passar o Natal numa casa onde não existam crianças para se compreender que diferença fazem suas vozes alegres e seus turbulentos brinquedos na maior de todas as festas. Nada parece o mesmo: a casa dá a impressão de estar morta e o mundo parece vazio da verdadeira felicidade. O riso das crianças é a coisa mais maravilhosa do mundo, a única de que mais sentem falta os que as adoraram em seu santuário, no passado, quando percebem que o tempo passou e que as folganças da sala onde as crianças brincavam se submergiram no imenso caldeirão da humanidade adulta. É como se as crianças fossem os únicos seres realmente naturais no mundo humano — os únicos seres que realmente compreendem o prazer.

"A explicação disso está no fato de terem retornado à Terra recentemente, e estarem ainda tão próximos da verdadeira vida gloriosa do mundo-céu, que continuam a ter certo contato com a vida em seu ponto mais alto, vida que é una com o reino da Natureza, a região das fadas, a região das belezas incontáveis e jamais sonhadas pelos seres materiais em que todos parecemos transformados quando crescemos, enegrecidos pelo pincel da convenção e da "respeitabilidade". Condição análoga a essa pode ser observada no reino animal. Mesmo os filhotes do leão são adoráveis, quando bebês: ao nascer, eles não sabem o que é medo. Depois de alguns meses, ou um ano, mais ou menos, seu instinto — que é a parte da alma grupal a que pertencem — se insinua neles e, então, o medo e o antagonismo em relação à raça humana cresce, e já não podem ser considerados como seguros animais de estimação.

"Em geral, nada é considerado tão triste para uma criança do que ter sua carreira cortada, em qualquer estágio, mas especialmente quando está saindo da primeira infância para o que chamamos a "idade do interesse", mais ou menos aos três anos. O período em que uma criança deixa de ser criança não é determinado pela idade. Algumas perdem seus modos infantis assim que entram para a escola; outras permanecem crianças mesmo depois que ultrapassaram os doze anos. A morte de uma criança deve parecer sempre desnecessária para os que não entenderam pelo menos a teoria elementar da evolução, porque é muito natural que se pergunte por que os pais têm de sofrer dessa maneira, e que adianta uma vida que termina quando mal havia começado. Contudo, os estudantes da evolução compreendem que uma criança é uma individualidade que desceu ao plano físico a fim de adquirir experiência — a fim de trabalhar no seu destino. Se morre jovem, ganha pouca experiência, e não levará muito tempo para assimilá-la depois que deixar o mundo físico. Assim, o mais provável é que a criança que morreu cedo logo esteja de volta para uma outra vida. Isso não quer dizer que ela perca alguma coisa, ou que sofra alguma coisa, seja como for, por causa de sua morte prematura. Se as pessoas comuns ao menos se dessem ao trabalho de adquirir esse conhecimento, como o mundo seria mais feliz!

"Quando um bebê está para passar ao outro mundo, a cerimônia do batismo sempre deve ser realizada. Esse rito torna a criança um membro de uma fraternidade sagrada, rodeia-a de uma proteção certa e definida, e a coloca ao longo de determinada linha de vibrações e influências, que evitam a aproximação do mal.

"Quando as crianças alcançam o mundo astral, têm uma vida maravilhosamente feliz, em virtude da ausência de restrições. Jamais deixam de ser atendidas, pois há inúmeras mães que morreram, e desejam, com grande empenho, tomar conta da criança que morre quando ainda bebê. No plano astral, essas mães conservam o mesmo sentimento materno que tiveram quando viviam no plano físico. A pobreza, a falta de alimentação, o sofrimento pelo frio — são coisas que não têm lugar nos pensamentos de uma mãe astral. O sono já não é necessário, portanto há tempo de sobejo para dar a qualquer criança que adotem. Além do prazer de ver o bebê cuidado e divertido, ela pode começar a educação da criança, apresentando-lhe as belezas desse mundo, em todas as suas formas. Esse ensinamento pode deixar marca na criança, e levá-la a voltar-se para a vida artística, na encarnação seguinte. Assim como as mães adotivas, que estão *sempre* disponíveis, há um vasto exército de ajudantes astrais também prontos a orientar o recém-chegado, através dos estágios iniciais de sua nova vida.

"Como o adulto, a criança não se transforma ao passar para esse novo mundo. Há sempre muitos que se mostram ansiosos por ajudá-las em seus jogos, e há, também, os espíritos da Natureza, que têm grande participação nos jogos das crianças, no plano astral. Pense numa criança imaginativa rodeando-se, ainda pela imaginação, com as maravilhas dos reinos descritos em seus livros de histórias de fadas. Nesse mundo astral a criança não precisará depender do faz-de-conta. Desde que uma coisa é imaginada, ela estará ali, claramente, para ser vista, porque a matéria astral é modelada pelo pensamento e, enquanto a criança pensar em uma coisa, ela se fará presente. Em lugar de sentar-se numa banheira, com um par de bengalas a fingir de remos, a criança que quiser remar num rio precisa apenas pensar nesse rio, apenas imaginar o bote e os remos, e eles estarão ali para seu uso. A criança que gosta de imitar os heróis de ficção precisa apenas pensar fortemente em si própria como o herói, e imediatamente se transforma naquilo que, na sua imaginação, constitui essa personalidade. O plástico corpo astral é modelado nesse exato feitio e, por essa ocasião, a criança se torna inteiramente aquilo que está tentando imitar. Torna-se Hermes, com suas sandálias aladas, ou Jasão com o Argo, ou Robin Hood, o herói da floresta de Sherwood. O que quer que ela pense ser passa a ser, e quando se cansa de uma personificação, basta que pense em qualquer outro ser, e o plástico corpo astral obedece a seu comando. É uma educação maravilhosa para uma criança viver entre os personagens de sua imaginação, já que aprende muito através desse método, muito mais do que lhe seria possível aprender nas condições do plano físico.

"Todos conhecem a criança que está sempre a fazer perguntas: com que freqüência nos vimos esbarrando em pedra de tropeço, já que nos é impossível dar uma resposta que possa ser compreendida por um ouvinte cujo cérebro não está desenvolvido, pelo intelecto elementar de uma criança. Vamos, às vezes, ao ponto de ralhar com a criança, desencorajando-a quanto a fazer mais perguntas. Não queremos obstar-lhes o progresso; apenas sentimos que, de vez em quando, nossas respostas são de tal modo inadequadas que seria preferível que as crianças ficassem sem resposta a receberem impressão errada com as que lhes déssemos. Quando se pode fazer uso das condições do plano astral, tudo se modifica. É possível encontrar a resposta a uma pergunta fazendo com que a imagem correspondente flutue diante dos olhos de quem indaga. Um modelo vivo (porque vive enquanto nosso pensamento se concentrar nele) melhora, consideravelmente, uma resposta feita de palavras.

"Pode alguém perguntar: 'As crianças sentem falta dos pais e das mães, dos amigos e companheiros de brinquedos?' Não, não sentem, e pela seguinte razão: todas as pessoas, quando dormem, passam horas no mesmo mundo em que está a criança que morreu. Os pais e mães que se lamentam porque perderam um filho vêem que esse filho é de novo visível para eles, desde o momento em que adormecem e saem de seus corpos físicos. Podem falar com a criança, brincar com ela, continuar sua educação, etc. Podem seguir, praticamente, do ponto que foi interrompido na Terra. É uma pena, entretanto, que esses pais de nada se recordem quando acordam pela manhã. A criança, depois da morte, é invisível para os pais comuns — para todos os que não desenvolveram a clarividência — enquanto os pais nunca são invisíveis para os filhos. Eles podem vê-los (a contraparte astral de seus corpos físicos) e, com freqüência, quando os pais estão chorando a morte de um filho, esse filho morto está ali a seu lado, tentando, de todas as formas, comunicar-se com eles. Para a criança, os pais parecem muito obtusos e estúpidos nessas ocasiões, porque a criança não pode compreender que, embora ela os veja, eles não a podem ver.

"Uma pergunta repetida com freqüência é a seguinte: — As crianças crescem, quando estão no plano astral? — Eis uma pergunta difícil de responder, porque, se perguntarem isso a uma criança, ela responderá: — Sim, eu cresci muito. — Como lhe disse, o corpo astral não cresce depois da morte porque, embora a criança se desenvolva mentalmente, e aprenda mais, o corpo realmente se conserva tal como era quando a criança morreu. O crescimento só é necessário no plano físico: depois que uma pessoa nasce, o corpo vai crescendo gradualmente, até atingir a estatura completa, a não ser que a pessoa morra, e então, o crescimento físico pára automaticamente. Como agora já não existe corpo físico, ao qual precise o corpo astral adaptar-se, ele cessa de crescer. Quando a criança diz que cresceu, isso quer dizer que a criança "pensa" que cresceu; o plástico corpo astral responde imediatamente a esse pensamento, e por algum tempo ela é maior; porém, assim que esse pensamento desaparece, o corpo retorna a seu tamanho habitual ou real. Nada há de misterioso nisso. Trata-se, apenas, das leis da Natureza em ação, e a matéria mais alta responde a essas leis tanto quanto as variedades inferiores.

"Vi, certa vez, um dos mais interessantes exemplos de como isso funciona para pessoas diferentes, num caso em que o marido e a mulher morreram juntos, num acidente de automóvel. Dez anos antes eles tinham perdido uma filhinha de cinco anos. O homem que estudara ocultismo, esperava ver a filha exatamente com o mesmo aspecto que tinha quando viva, assim, recebeu-a levantando-a nos braços, da mesma forma que costumava fazer quando chegava à casa, de volta do escritório. A esposa, entretanto, não tendo de maneira alguma estudado essas questões, somara, naturalmente, os anos passados desde a morte da filha e esperava ver uma jovenzinha de quinze anos a esperá-la do outro lado. Não ficou desapontada. Viu uma jovem alta, com o rosto atraente e os olhos com que tantas vezes imaginara que a filha teria ao crescer, e exclamou, ao saudá-la: "Como você cresceu! Ora essa, está realmente uma mulher!" O marido, sabendo algo das peculiaridades do mundo astral, da sua matéria plástica, não se sentiu surpreendido nem quis arruinar a satisfação dela explicando que o que a esposa estava vendo era, realmente, uma forma-pensamento feita por ela própria, dentro da qual estava o ego de sua filha, que não tinham visto, a não ser durante o sono, durante os dez anos passados. Esse exemplo mostra que, embora seja um fato que as pessoas não crescem em tamanho no plano astral, ainda assim, para aqueles que não podem aceitar esse fato, ou acham difícil compreendê-lo, suas ilusões mostram-se bastante satisfatórias, e ninguém é prejudicado por elas.

"Antes de terminar meus comentários sobre a vida das crianças no nível astral, deixe-me dar-lhe um exemplo para mostrar como a morte prematura de uma criança pode ser, e habitualmente é, consideravelmente benéfica para essa criança. Dois jovens se casaram em circunstâncias pobres, e desejavam um filho. No devido tempo tiveram esse filho, que viveu apenas dois anos. Os pais ficaram desesperados de dor com essa perda, e nada nem ninguém parecia ser capaz de consolá-los. A vida, que antes dava a impressão de ser quase perfeita, mostrava-se agora vazia e desolada, e a atmosfera de seu lar se tornou em extremo depressiva. Com o tempo, passaram a sentir menos agudamente essa perda, mas a ferida ainda estava lá, e cada um deles fazia o caso pior para o outro, tratando o assunto como encerrado, para nunca ser mencionado — o que apenas significava que ambos, no fundo de seus corações, pensavam e sofriam ainda mais. Aquilo que ambos tinham amado, a criança cujo futuro haviam planejado, havia-lhes sido tomada, e o sofrimento deles era grande, grande sua frustração por terem sido tratados assim por um criador que diziam ser benevolente.

"Esse desgosto agiu de maneira diferente sobre essas duas pessoas: enquanto a mulher cuidava de seus deveres domésticos e rezava para que um dia pudesse conceber outra criança, o homem entregou-se com toda a alma aos negócios, sentindo, bastante acertadamente, que o trabalho duro afastaria sua mente do grande desgosto. Cinco anos depois da morte do primeiro filho, a mulher teve outro, e a alegria dos pais foi completa. Aconteceu, porém, que o novo filho era o mesmo ego que fora levado cinco anos antes. Mediante o árduo trabalho que o desgostoso pai tinha realizado, os recursos materiais da família eram agora florescentes, de modo que, quando chegou a ocasião de educar esse segundo filho, o homem estava em condições de dar-lhe uma educação de primeira classe. Cinco anos antes esse dinheiro não teria existido.

"O resultado líquido daquela morte aparentemente inútil foi levar, antes de mais nada, o marido e a mulher a pagarem muitas das unidades de seus carmas, através do sofrimento. Em segundo lugar, o filho, que obtivera o direito a uma boa educação, pelas suas ações numa vida anterior, tinha de ser retirado de seu primeiro corpo, tinha de ficar à espera durante cinco anos pelo segundo corpo, para então renascer na mesma família. O ego da criança nada sofreu com todos esses fatos. Ganhou muito pelas oportunidades então disponíveis quando em seu segundo corpo. Nascer cinco anos depois nada é no esquema da evolução, mas, com freqüência, alguns anos fazem muita diferença nas condições existentes em determinada família no plano físico, e essas condições podem ter efeitos que alcançam os egos nascidos nesse ambiente.

"Resumindo: em geral, é necessário que a pessoa volte ao lar do ego, que fica num plano mental mais alto, caso tenha vivido no mundo físico durante um período padrão de tempo. Para que isso aconteça deve passar através do mundo astral, viver sua vida ali, depois descartar seu corpo astral e, em seu corpo mental, consolidar, no plano mental, todas as experiências mentais e esforços intelectuais que tiveram lugar em sua última existência. Tendo feito isso, também o corpo mental é descartado e ele não recebe outros veículos, quer mentais, quer astrais, até que chegue a ocasião em que deve reencarnar. Menciono isso agora para que possa compreender que uma vida curta no plano físico muitas vezes significa que a criança, tendo pouca ou nenhuma experiência a consolidar depois de tão curta existência física, retorna apenas ao plano astral, por alguns anos, e recebe, então, um novo corpo físico, retendo os mesmos corpos mental e astral que tinha atraído a si antes de sua recente e curta vida no plano físico.

"Como o senhor está começando a sentir, a evolução é um processo lento. Compreenderíamos isso mais facilmente se pudéssemos ver o esquema como um todo, e não como uma pequena parte, como a maioria de nós vê de relance, enquanto vive no plano físico.

"Há muita coisa que lhe devo ensinar sobre a vida no plano astral, e eu lhe darei oportunidade de perguntar quanto quiser em relação aos pontos que não lhe parecerem muito claros. Antes que me vá, entretanto, proponho tentar uma experiência, para a qual imagino esteja ansioso em cooperar. Na noite passada recebi permissão de meu Mestre, que é um dos grandes adeptos ou homens perfeitos que ajudam a governar este planeta, para lhe dar a oportunidade de ver, por si mesmo, alguns dos estados sobre que tenho falado nestes últimos dias. Foi meu Mestre quem me mandou vir ter com o senhor, no início.

"O que proponho é que o senhor mesmo faça uma viagem ao plano astral, e, se fizer exatamente o que eu lhe disser, penso que poderei ajudá-lo a recordar muito do que vir e fizer durante o tempo em que estiver fora de seu corpo. Amanhã pela manhã, portanto, eu não o visitarei, como faço habitualmente. O senhor pode passar a manhã lendo todas as notas que tomou sobre as minhas palestras destes últimos seis dias. Refresque sua memória sobre cada pormenor possível, porque terá que recordar muito do que lhe contei, se quiser beneficiar-se da oportunidade que proponho lhe dar, na esperança de que essa oportunidade tornará muitas coisas, que agora não estão claras, mais fáceis de serem entendidas pelo senhor.

"Não deve comer carne nem hoje nem amanhã, e não deve tocar em álcool. Sei que habitualmente come pouca carne e que raramente bebe um pouco mais; porém mesmo um pouquinho de álcool aumentará minha dificuldade, pois terei a tarefa de imprimir em suas células cerebrais, quando voltar ao corpo físico, a necessidade de recordar o que esteve fazendo fora de seu corpo. Isso, necessariamente, pode não ter completo êxito, mas tentaremos e, já que meu Mestre concordou com o esquema, não tenho dúvida de que me ajudará a levá-lo adiante. Amanhã à noite deve fazer sua última refeição às 7 horas, ir para o quarto depois do jantar e estar preparado para deitar-se às 9:45. Tenho aqui um comprimido que o senhor deve tomar quando for se deitar, pois ele assegurará que às 10 horas estará dormindo, e a essa hora eu virei. Antes de se acomodar para dormir, tente imaginar como parece deitado em sua cama. O método mais simples para fazer isso é imaginar que, imediatamente acima de sua cama, há um enorme espelho. Se assim fosse, que faria o senhor quando fosse deitar-se? Esse é o quadro que eu desejo que tenha em mente ao adormecer, porque isso será o que irá ver imediatamente depois que se separar de seu corpo físico.

"De início poderá surpreender-se ao ver o que parece ser o senhor deitado na cama (quando realmente o senhor estará olhando para seu corpo físico) e isso, instintivamente, pode torná-lo de certa forma amedrontado. O resultado desse medo seria um retorno precipitado ao corpo que está na cama, e o senhor estaria de novo acordado. Estou avisando, com antecedência, sobre o que o espera, pois desejo evitar isso.

Embora o senhor saia de seu corpo todas as noites, de nada se recorda, pois não tem consciência dessa saída. Agora estou providenciando para que não haja brecha em sua consciência das coisas, entre o adormecimento e a *compreensão* de que se destacou do corpo físico. Tentarei ajudá-lo a manter essa continuidade de consciência, desde o momento em que adormecer até o momento em que retorne ao corpo, pela manhã. Então, não terá dificuldade de recordar e será capaz de escrever, em pormenor, tudo quanto fez em seu corpo astral durante as horas em que seu corpo físico permaneceu deitado na cama. Sem essa continuidade de consciência o senhor pouco ou nada recordará sobre essas coisas, trazendo apenas de volta um fragmento de um ou mais acontecimentos, que descreverá como sonhos, provavelmente. A maioria dos sonhos das pessoas são fragmentos do que estiveram fazendo durante o sono, fragmentos que as células cerebrais deformam com freqüência. Nunca é fácil recordar corretamente todos os pormenores, o que requer anos de estudo, de concentração e prática, a fim de que se consiga algo que se pareça com resultados perfeitos. Por isso é que não posso garantir que irá lembrar-se de alguma coisa, mesmo quando auxiliado por meu Mestre. Se, por acaso, for inteiramente vitorioso, não deve ficar desapontado se descobrir, como indubitavelmente descobrirá, que em futuras ocasiões, ao acordar, não será capaz de trazer de volta coisa alguma.

"Agora vou deixá-lo até que nos encontremos, amanhã à noite. Depois de amanhã também não o verei, porque desejo que escreva tudo quanto puder recordar sobre suas experiências astrais. Iremos, então, discuti-las, quando de novo nos encontrarmos, em carne, daqui a três dias, à hora habitual. Tenha fé em si próprio, e tudo correrá bem."

Capítulo 4

𝓟arte de minhas instruções dizia que eu deveria escrever tudo quanto pudesse recordar sobre os acontecimentos da noite passada. Isso parece mais simples do que provou ser, porque posso dizer-lhes, desde já, que a experiência teve sucesso em todos os sentidos. Não sei se terei recordado tudo quanto aconteceu — espero que meu professor me diga isso hoje — mas me lembrei de tanta coisa que precisei disciplinar meus pensamentos, muito cuidadosamente, para poder escrevê-los.

A noite era escura, sem luar. Fui deitar-me às 9:45, conforme as instruções que recebera, tomei o comprimido que me fora dado, e concentrei-me em imaginar no que veria ao espelho se algum espelho houvesse em cima de minha cama. Tenho um pequeno relógio francês, que fica ao lado da cama, e que é um grande tesouro para mim, pois custou-me uma pequena fortuna, na época em que não passava de um nada endinheirado estudante em Cambridge. Ele toca as horas e os quartos de horas com uma suave nota argentina, que jamais fez cessar ou interrompeu meu sono. Eu o ouvira tocar um quarto para as dez, hora em que havia tomado o comprimido. E foi exatamente quando ouvi o primeiro toque argentino que começava a anunciar os quartos que precedem ao toque das dez horas quando me pareceu sentir que algo bastante incomum acontecia em meu corpo. Algo como que se destacava de dentro de mim, e senti o que posso descrever como um movimento deslizante, que, suponho, era eu mesmo escorregando para fora de meu corpo físico, porque, antes que o relógio começasse a bater as dez pancadas, vi-me suspenso no espaço, olhando para meu corpo, exatamente como me fora dito que iria acontecer — só que eu não estava de pé sobre o piso, mas cerca de uns trinta centímetros acima dele (só mais tarde, realmente, é que compreendi que isso se passara assim). Quando me tornei consciente de que existia fora de meu corpo, meu coração pareceu palpitar, mas não posso dizer que me sentisse propriamente amedrontado e, isso é certo, não tinha a menor vontade de me precipitar de volta. Dizer que me sentia surpreendido é descrever a coisa brandamente. Eu estava excitado, eletrizado, havia uma espécie de medo, também, medo do desconhecido, medo do incomum.

Para meu espanto, o ambiente estava tão claro como durante o dia! Foi minha primeira compreensão da luz que existe por toda parte e a todo tempo no mundo astral e, embora mal reparasse na sua característica, na ocasião, descobri mais tarde que se tratava de uma luz cinza-azulada. Se puderem imaginar a aparência de um aposento logo depois que começa a amanhecer — só que muito mais claro — isso lhes dará uma idéia da aparência de meu quarto então. Ouvi um riso alegre atrás de mim, que, muito estranhamente, não me assustou. Voltei-me, e lá estava Charles, parecendo exatamente o mesmo Charles que eu vira pela última vez. Era evidente que estava se divertindo com minha surpresa e minha expressão de incredulidade, e seu rosto mostrava-se enrugado com sorrisos, aquelas mesmas rugas joviais que eu conhecia tão bem, e que se mostravam como nos dias já passados. Automaticamente, agarrei-lhe a mão, e imediatamente senti que seu aperto era firme e tão real como costumava ser. Meu amigo hindu, em quem eu não havia reparado antes, mas que também estava no quarto, disse: "Sim, ele é real, de fato, como eu lhe disse, e porque o senhor neste momento está usando o mesmo tipo de corpo que ele está usando, torna-se, naturalmente, tão real para o senhor como o senhor para ele." Minha alegria ao ver Charles foi tão grande que suponho ter passado um minuto ou dois apertando-lhe a mão, pondo minhas mãos em seus ombros, e, com tudo isso, satisfazendo-me com a idéia de que ele estava de fato ali — "em carne", eis como eu o teria descrito. Acho difícil reconhecer que, embora o corpo astral pareça igual ao corpo físico, no que se refere às formas, não é, contudo, de maneira alguma físico, e não tem carne, órgãos ou tecidos. Entretanto, Charles era bastante real para mim, e eu comecei a fazer-lhe mil e uma perguntas, tal como se faz à pessoa que se ama e que não se vê por algum tempo. Eu queria saber como ele estava, o que estava fazendo, se era feliz, etc. E quando ele conseguiu pronunciar uma palavra, disse tranqüilamente: — Não se preocupe, estou bem, e me divirto, como pode ver por si mesmo. — Comentei o fato dele estar ainda usando uniforme. — Oh! Estou, é? — respondeu ele, e continuou dizendo que não tinha pensado no que estaria usando. Meu amigo hindu explicou que eu via Charles vestido de uniforme porque assim ele estava vestido na última vez em que eu o tinha visto; por isso, sem o saber, fizera uma forma-pensamento dele usando uniforme, e a plástica matéria astral imediatamente respondera a esse meu pensamento. Disse-me, também, que ainda quando Charles tivesse pensado no que estava usando antes de me ver, eu não o veria com o tipo de roupa que ele tivesse imaginado, a não ser que o mencionasse para mim. Eu o veria sempre vestido conforme *eu* imaginasse que deveria estar.

Meu amigo hindu perguntou-me, então, o que eu gostaria de fazer. Charles sugeriu que começássemos por um jantar astral, e perguntou-me se gostaria de ir ao *Trocadero Grill*, que era nosso recanto favorito quando estávamos juntos em Londres. Eu disse que sim, naturalmente, imaginando como isso poderia ser feito, mas, tendo visto Charles com vida — realmente com muita vida —, achei que nada seria impossível. — Venha, então, vamos lá — disse Charles, começando a sair do quarto. Fui para abrir a porta e Charles imediatamente começou a caçoar de mim por isso. Explicou que eu precisava me habituar a passar através de portas, quando no plano astral, sem me dar ao trabalho de abri-las e, embora isso me parecesse estranho, vi que era verdade, porque a porta não ofereceu qualquer obstáculo à minha passagem. Ficando meu quarto de dormir no primeiro andar, comecei a descer as escadas, na maneira habitual. Reparei que Charles, que ia à minha frente, não usava os degraus, mas flutuava uns trinta centímetros acima deles ao descer, e vi que podia fazer o mesmo. Essa flutuação causava uma sensação estranha a princípio, mas a ausência da força de gravidade, à qual estamos tão habituados no plano físico, logo mostrou ser uma grande vantagem, com a qual a gente depressa se habitua.

Saímos com o que parecia ser um passo muito rápido. Eu me conservava junto de Charles, e meu amigo hindu ficou a meu lado. Perguntei a Charles como sabia qual o caminho para a Inglaterra, ao que ele me respondeu que depressa as pessoas se acostumavam a encontrar os caminhos. Passamos por sobre o porto, viajando dez metros acima do mar. Olhei em torno, e vi as luzes de Colombo desmaiando na distância, e então, durante alguns segundos, pareceu-me que não passávamos por coisa alguma. Era difícil distinguir os verdadeiros lugares pelos quais transitávamos, porque quase ao mesmo tempo que os víamos no horizonte já o tínhamos deixado para trás. Além desse fato, a sensação de espantosa velocidade mal era notada, porque não havia o vento de frente, de que temos notícia nas altas velocidades do mundo físico. Não parecia haver qualquer resistência, e mais tarde descobri que não havia mesmo nenhuma, porque a matéria astral é tão fina em sua tessitura que passar por ela com aquilo que parecia ser uma terrível velocidade, comparada com o que temos aqui, não fazia qualquer diferença.

Num espaço de tempo quase igual ao que usei para descrever a viagem, chegamos à terra e Charles informou-me de que se tratava da "Velha Inglaterra". Disse-me que tínhamos feito um caminho mais ou menos reto, pois não era necessário, naturalmente, fazer desvios, já que terra ou mar não fazem diferença quando se viaja no estado astral. Quando alcançamos a Inglaterra, que reconheci ao baixarmos sobre Dover, senti-me fascinado pela facilidade com que nos movíamos. É difícil descrever em linguagem comum, mas, se forem capazes de imaginar o que aconteceria se pudessem viajar com a velocidade que quisessem, apenas expressando um pensamento a respeito, isso lhes daria uma idéia do processo. Tínhamos subido mais, ao nos aproximarmos da terra, e agora flutuávamos alguns metros acima das casas mais altas de Londres.

Tínhamos deixado o Ceilão logo depois das 10 horas da noite, o que correspondia a 5 horas e 30 minutos da tarde na Inglaterra. Descemos ao nível da rua quando chegamos acima de *Hyde Park*. Eu sabia que ainda era dia, porque não havia luzes acesas, mas a luz do mundo astral seria a mesma, tanto ali como a Leste, onde já era noite. Comentei a esse respeito e disseram-me que para o corpo astral, não tendo jamais qualquer necessidade de repouso, não há dia nem noite no nível astral. Esse foi um dos primeiros e interessantes pontos de diferença entre os dois mundos que me impressionou. Charles sugeriu que eu poderia gostar de seguir por *Oxford e Regent Streets*, para ver como me sentiria andando em meu corpo astral. Andar pela *Oxford Street*, onde eu não tinha estado desde 1939, exatamente antes da eclosão da guerra, foi realmente curioso. A rua estava apinhada de gente, como seria de se esperar àquela hora do dia. Embora as calçadas estivessem repletas, isso não parecia constituir qualquer diferença para nós, porque realmente caminhávamos *através* das pessoas que, em seus corpos físicos, vinham em nossa direção. Não é estritamente correto dizer que estávamos inconscientes dessa passagem através delas, porque sentíamos como se estivéssemos passando por uma pequena nuvem de névoa, quando o fazíamos. Por um momento ficávamos envolvidos nela, logo depois a tínhamos atravessado, e tudo em torno ficava claro outra vez. Aquela névoa de forma alguma impedia nossa caminhada, mas nós a sentíamos, do mesmo modo como quando ficávamos em contato com outras pessoas que usavam seus corpos *astrais*. Sentíamos esses corpos até uma leve extensão, embora de forma alguma eles nos prejudicassem. No mundo, tenho visto mais de uma pessoa estremecer e, a título de piada, dizer que alguém estava andando sobre sua sepultura. Sei, agora, que essa sensação deve ser causada por um corpo físico que entra em contato com uma entidade astral; embora a matéria astral seja de tessitura demasiado fina para interferir com o corpo físico que vai passando, deixa-lhe um ligeira impressão.

Pensei que meu amigo hindu deveria parecer bastante incomum naqueles lugares, com seus trajes orientais, e falei-lhe a esse respeito. Ele respondeu: — Suponho que não saiba que eu troquei minhas roupas e, agora, se olhar para mim, verá que estou vestido como os europeus que vemos em torno de nós. — Olhei-o, e era verdade. Seu turbante havia desaparecido, e, dado que sua pele fosse quase tão branca quanto a nossa, ele se parecia muito com os estudantes hindus que são vistos em Londres freqüentemente. Por ter ele mencionado isso eu o vi tal como ele se imaginara. Explicou-me, então, que depressa a pessoa se habitua a mudar de roupa, conforme as circunstâncias tornam desejáveis essa mudança. O plástico corpo astral obedece imediatamente ao pensamento, no mesmo momento em que ele é formulado.

Eu disse que gostaria de caminhar até Selfridges, por onde passávamos naquele momento. Ninguém fez objeção, e assim entramos e eu me encaminhei para o balcão dos livros. Sempre me sentira atraído por livros e, apanhando um dos novos, voltei-lhe as páginas. Ao fazer isso, reparei que não havia falha na prateleira da qual eu o tirara e, perguntando a razão disso, disseram-me que o que eu tinha nas mãos era uma forma-pensamento do livro pelo qual me interessara, sendo que o livro físico ficara na prateleira sem ter sido absolutamente movido dali. Essa foi uma sensação espantosa! Perambulei pela imensa loja, porque, naturalmente, àquela hora a casa estava fechada para o público, e ouvi, distintamente, os relógios de um departamento vizinho baterem seis horas. Quanta coisa acontecera na meia hora que se passara desde que eu saíra de meu corpo físico, a seis mil milhas de distância. Meus companheiros pareciam muitíssimo divertidos com o interesse que eu demonstrava pelas coisas, mas Charles, obviamente, se divertia com sua posição única de guia, exatamente como nos divertiríamos ao mostrar um país novo a um amigo, como acontece com freqüência no "misterioso Oriente", onde encontramos a maioria dos grandes transatlânticos trazendo amigos de nossa terra em primeira visita.

Charles disse que desejava mostrar-me os estragos que Londres sofrera através das incursões aéreas. Levou-me a vários lugares, como St. Paul, por exemplo, onde se fazia bastante visível o que os londrinos tinham sofrido através daquelas terríveis bombas. Era necessário passar por cima dos edifícios principais para ver bem os estragos, mas, em nossos corpos astrais, não tivemos dificuldade alguma a esse respeito. Quando íamos caminhando por uma rua, Charles disse: — Vamos — e, imediatamente, flutuou por sobre as cabeças que compunham aquela corrente de tráfego. Achei muito fácil acompanhá-lo, já que expressei imediatamente, em pensamento, o desejo de fazer o mesmo. Encontrei-me lado a lado com Charles, flutuando airosa, e facilmente, por sobre a congestionada metrópole de Londres. Charles sugeriu que fôssemos ver nosso velho lar de Warwickshire, que havia muitos anos eu não visitava e, no que pareceu coisa de apenas segundo, ele me guiara para o lugar certo. Perguntei-lhe como sabia para onde se dirigir tão facilmente, se havia relativamente pouco tempo que vivia sob as condições astrais. Ele me disse que fizera muitos amigos do outro lado, e que, além disso, seu treinamento como piloto da R.A.F. lhe havia ensinado muito sobre isso de ir a lugares assim como um corvo voa.

Ver o rio Avon serpenteando seu caminho através da adorável zona rural do Warwickshire foi agradável, e depressa pousamos em terra, no ponto onde se erguia nosso antigo lar. Como reconheci bem o velho lugar, embora, depois da última vez em que ali estivera, muitas pequenas casas tivessem brotado na vizinhança imediata. A casa ainda parecia a mesma. Até os gramados da frente e dos fundos davam a impressão de ser o que eram quando Charles e eu brincávamos sobre eles, quando meninos. Fiquei a pensar em quem moraria ali agora, porque depois da morte do meu pai a casa fora vendida, já que minha mãe não ficara com dinheiro suficiente para mantê-la, e eu, o filho mais velho, tinha me instalado no Oriente. Entrei na casa, pois naquela altura já estava compreendendo que uma porta fechada não fazia diferença, e vi pessoas estranhas ocupando os aposentos que tínhamos amado nos velhos dias. Penso que foi uma tolice, mas aquelas pessoas me pareceram intrusas e, com o mobiliário diferente, a atmosfera da casa estava muito modificada.

Não nos demoramos muito e logo retornamos a Londres. Foi, certamente, muito excitante ficar de pé no centro de Picadilly Circus, onde as floristas costumavam ficar, mas sem a estátua de Eros removida para que não sofresse danos. A multidão ainda estava ali, os ônibus e os táxis continuavam em seus itinerários habituais, a única e nítida diferença eram os homens e as mulheres de uniforme. Na verdade, parecia haver mais gente fardada do que em trajes civis, o que me fez lembrar que a Inglaterra não era apenas um país em guerra, mas um país onde se esperava que todo homem e toda mulher, desde que válidos, fizessem sua parte na defesa da pátria bem-amada.

Eram quase 7 horas quando Charles sugeriu que fôssemos jantar no *Trocadero Grill*. Caminhamos para o salão, onde vimos que a maioria das mesas pequenas, colocadas ao longo das paredes, já estava tomada. Meu amigo hindu disse-me, então, que me deixaria ao cuidado de Charles, enquanto jantássemos, pois tinha outro trabalho a fazer. Viria encontrar-se conosco mais tarde. Assegurando-me que Charles estava apto a me apresentar aquele tipo de divertimento no plano astral, e com um cordial voto para que tivéssemos um bom jantar, deixou-nos.

Charles explicou-me um dos pontos muito importantes quando se está fazendo uma refeição no nível astral, num restaurante que realmente existe no plano físico, se compararmos com a mesma coisa quando se trata de um restaurante que foi criado por nós, através da imaginação e do pensamento. Disse que era sempre pouco sensato sentar-se a uma mesa que realmente existe no plano físico, porque, sendo nós invisíveis, as pessoas que chegassem veriam a mesa vazia, mas não nos veriam e, naturalmente, tomariam posse dela, o que seria ligeiramente inconveniente. Quando se sentassem, não sentiriam nossa presença, mas teriam a mesma sensação que tínhamos acusado ao passar através da multidão, nas ruas. Quando uma pessoa física senta-se *a* uma cadeira ocupada por *nós* em nosso corpo astral, esperamos, naturalmente, sentir algo e, embora daí não advenha uma sensação desagradável, essa sensação também não se mostra inteiramente agradável. Isso podia ser evitado — disse ele — se produzíssemos pelo pensamento uma mesa para nossa reunião particular, em espaço não fisicamente ocupado por qualquer mesa. No mesmo momento fez o que dizia no salão do *Trocadero*, e convidou-me a sentar.

Disse-me que, ainda através do pensamento, podia produzir um garçom que a *nós* pareceria exatamente igual aos outros garçons que se moviam por ali em seu trabalho normal. Esse garçom, porém, não seria visto pelos ocupantes físicos do salão. Charles pediu um *dry sherry* e eu um *whisky and soda*, porque Charles me dissera que a proibição que eu tivera quanto a tomar álcool nos dois dias anteriores à experiência não era válida ali. Serviram-me a bebida, bem como a de Charles e, para mim, o sabor foi exatamente o que eu esperava que fosse. Disse-me Charles que se eu nunca tivesse provado *whisky* no mundo, não poderia apreciar-lhe o sabor no nível astral, embora eu, indubitavelmente, sentisse no líquido astral o sabor que imaginava existir no *whisky*. Contou-me Charles que um dia, quando meu amigo hindu estava-o instruindo sobre essas coisas, pediu-lhe uma bebida. Nosso hindu encomendou um copo de água, dizendo a Charles que seria inútil pedir *whisky*, *sherry* ou *vodka*, porque jamais os havia provado na vida física, não podendo, portanto, imaginar o sabor dessas bebidas, o que faria com que todo o prazer fosse perdido. A mesma coisa acontece com o fumo. Meu amigo hindu jamais fumara, assim, mesmo que lhe oferecessem um cigarro no nível astral, ele sempre o recusava, pois, não conhecendo a satisfação produzida pelo mesmo, não teria tido prazer em criar uma forma-pensamento para sugar o fumo e expeli-lo novamente. Aquilo me pareceu bastante lógico, e fiquei satisfeito por ter a experiência de beber e fumar, porque posso gozar desses dois prazeres simples.

Tomamos nossas bebidas e observamos as pessoas. Podíamos, até, ouvir o zunzum da conversação em torno de nós, e isso confirmava o que me haviam dito: que cada som físico tem sua réplica astral, e, por assim dizer, soa com uma nota que pode ser ouvida por aqueles que usam o corpo astral. Olhando para os vários tipos de pessoas que estavam constantemente entrando e saindo, eu não poderia ter percebido que naquele momento a Inglaterra estava lutando com as costas contra a parede, e pela própria sobrevivência. Todos pareciam estar gozando a vida, e havia muito riso intercalado com a conversa, que era contínua, sem pausa.

Charles chamou um jovem, vestido com a farda da força aérea, e que acabava de chegar. Cumprimentaram-se com muito entusiasmo. Trazendo-o à nossa mesa, apresentou-o como Roy Chapman, piloto que fora morto na batalha da Bretanha, no outono anterior. Era um bom tipo, e quando lhe perguntei que tal achava a vida no mundo astral, sua resposta foi esclarecedora: — É boa — disse ele — mas tediosa, depois de algum tempo. No início, naturalmente, é bastante agradável conseguir tudo o que se quer sem ter de pagar, mas a novidade cansa e, francamente, eu preferiria estar ainda no velho esquadrão. — Julguei que aquela era uma oportunidade única de saber coisas, e, assim pensando, perguntei-lhe o que fazia de seu tempo. Respondeu-me que fazia mais ou menos o que lhe vinha ao espírito, e que naquele momento, por exemplo, estava esperando uma jovem conhecida que convidara a jantar. Perguntei-lhe se a jovem estava morta ou viva. — Oh! Morta, naturalmente, se você ainda quer usar essa expressão fora de moda. É inútil marcar encontros com pessoas que ainda vivem no mundo, porque exatamente quando se está no meio de alguma coisa interessante elas têm de voltar para seus corpos.

Nos poucos minutos que restaram antes que a moça chegasse, eu soube, por ele, que experimentara todos os jogos habituais e achara-os bastante aborrecidos. Jogar golfe, por exemplo (e fora homem de baixo *handicap* antes de ser morto) era muitíssimo inútil, quando tudo quanto se tem a fazer é imaginar que se tem um *birdie* ou um *eagle* para que a coisa se concretize. Não há aquilo que chamamos competição, pois basta que se faça uma forma-pensamento de derrota do adversário para que tal coisa aconteça. A mesma coisa acontece com o bilhar. Não tem graça alguma fazer uma grande tacada, se é possível fazê-la sempre que se quer. Falta o elemento sorte, e isso rouba todo o encanto dos jogos que exigem habilidade. Compreendi, ao ouvir isso, que o meu amigo hindu estava realmente com a razão quando dissera que a vida no plano astral poderia ser tediosa para aqueles cujos interesses dependiam inteiramente das condições do plano físico. Perguntei a Roy se durante sua existência gostara de música ou de arte, ao que ele respondeu que não. Tinha dançado, gostara de música de vez em quando, mas não pensara muito nisso. Pensei que quando se sentisse cansado de encontros com amigos e de viver no limite do plano físico, gostaria, eventualmente, de encontrar outra coisa que o interessasse, senão a vida, dentro de algum tempo, iria tornar-se extremamente maçante. Sua amiguinha chegou, por essa altura, e vi que ele sabia bem como escolhê-las. Era bonita, realmente bonita, e formavam um par perfeito quando desceram as escadas em direção do *Grill Room*, onde, presumivelmente, tinham combinado jantar. Eu disse a Charles que teria gostado de indagar dele quais tinham sido suas impressões quando fora atirado para as condições astrais. Charles respondeu que ele não gostava muito de falar sobre isso. — Nenhum de nós gosta, sabe? — Fiquei pensando por quê, mas nada perguntei naquele momento.

Descemos para o *Grill Room* e escolhemos um lugar junto a um canto onde não havia mesa. Charles fez uma forma-pensamento de mesa para nós. Chegou um garçom, mal nos havíamos sentado, e perguntou-nos o que desejávamos comer. Charles disse-me que pedisse o que quer que me viesse à fantasia. Devo dizer que não sentia exatamente fome, mas a singular experiência fez com que pedisse *Sole à La Bonne Femme*, frango à *Maryland*, e depois pêssego Melba e uma xícara de café. Charles pediu dois *Bristol Cream Sherries* e uma garrafa de *Chambertin 1933*, sendo esse um ano que, segundo disse, sabia que era bom. Perguntei se esses vinhos ainda estavam na lista naquele tempo de guerra, ao que Charles respondeu que não sabia, mas que, fosse como fosse, não importava, porque no plano astral o que quer que se pedisse era fornecido, houvesse ou não houvesse possibilidade de obter tal coisa no plano físico. Apreciei meu jantar, sendo a cozinha, naturalmente, tão perfeita como eu imaginara que deveria ser. Só não podia me conformar com o fato de estar sentado (aparentemente) no *Trocadero*, tendo um jantar perfeitamente normal com o velho Charles, rodeado pelos tipos de pessoas que eu sabia que ali estariam em quase todas as noites do ano.

Foi exatamente nesse momento que meus olhos caíram sobre um velho camarada, que eu não via há anos. A última vez em que nos víramos fora a bordo de um navio, em 1935, quando eu voltava ao Ceilão, depois de licença passada em minha terra, e ele retornava à Malaia. Caminhei até ele, deixando Charles em nossa mesa. Meu amigo, que tinha em sua companhia mais três pessoas, estava, era óbvio, divertindo-se, pois tagarelava da maneira que lhe era habitual. Bati-lhe nas costas, dizendo: — Com os diabos, que está fazendo aqui? — Ele, porém, não tomou conhecimento algum da minha presença e continuou contando sua história — e estava certamente em boa forma, pois pude ouvir, palavra por palavra, o que dizia, e seus companheiros tinham acessos de riso. Achei impossível causar-lhe impressão e, aborrecido, voltei para minha mesa, onde encontrei Charles grandemente divertido com o meu desapontamento. — Como, com os diabos, poderia eu saber se ele era real ou não? — perguntei. Charles respondeu que se divertia com o meu uso das palavras *real e irreal*, pois isso não existia ali. Explicou que de início era difícil perceber, mas que havia uma diferença: o corpo astral que víamos não era claramente desenhado no caso de um homem que estivesse usando seu corpo físico, enquanto o de um residente permanente do mundo astral, e também o de um homem que funcionasse no plano astral durante o sono, tinham desenho muito mais claro. Havia outra diferença a ser notada, era o quase apagado cordão sedoso de matéria etérica, que estava sempre ligado aos visitantes temporários, e que nunca parecia ser tão vivo nos habitantes permanentes. Depressa uma pessoa se habituava a distingui-los através do cordão sedoso, que não se via com facilidade. Pediu-me que comparasse Roy Chapman com as outras pessoas que jantavam no *Grill Room*. Havia, certamente, uma diferença, pois o contorno do corpo de Roy *era*, certamente, definido com maior nitidez do que o dos outros. Pode ser que a razão disso esteja no fato de que quando o corpo astral está sendo usado como veículo permanente, o ego que o habita não tem existência dupla, como acontece com a pessoa que ainda vive no nível físico.

Nosso jantar terminou e, ao tomar meu *brandy*, percebi que o *show* ia começar. Compreendi que era importante, para as pessoas que estavam vivendo sob a pressão de uma guerra total, poderem se afastar dos próprios pensamentos, quanto possível. Ali não parecia, certamente, haver qualquer sinal de guerra, mas bem se podia notar a tensão sob a aparente satisfação do momento, porque todos os que estavam presentes compreendiam que o futuro era terrivelmente inseguro e que tudo poderia acontecer a eles próprios ou aos que amavam, e a qualquer momento. O *show* incluía uma espécie de dança com senhoritas bem pouco vestidas, e durante a dança elas faziam uso de todo o espaço existente entre as mesas dos que jantavam. Isso aconteceu no lugar onde nossa mesa astral estava colocada, e mais uma vez tive a estranha sensação de pessoas, em seu corpo físico, passando através do meu corpo astral.

Depois do *show*, Charles sugeriu levar-me a um pequeno clube noturno, do qual fora sócio antes de ser abatido e morto. Nem mesmo recordo em que rua estava situado esse clube, mas sei que ficava entre Leicester Square e Soho. O mesmo processo usado no *Trocadero* foi adotado ali: uma mesa foi criada por Charles, para nosso conforto, bebidas foram encomendadas a um garçom, presumivelmente também criado pela imaginação de meu irmão.

Devia ser mais ou menos 10 horas, pelo tempo na Inglaterra, quando a atmosfera se transformou sem qualquer aviso. O clube noturno estava apinhado: havia membros das forças armadas e também um razoável número de civis. Subitamente, as sereias, marcando incursão da aviação inimiga, soaram. Foi uma experiência interessante ver a maneira disciplinada com que cada qual se movimentou, e a completa ausência de pânico que prevaleceu enquanto todos os ocupantes do clube apressavam-se em direção aos abrigos, situados em toda a sorte de estranhos lugares, além aos túneis, que tiveram papel tão importante na segurança dos londrinos durante as incursões aéreas. Saímos do clube e fomos até *Picadilly*. A essa altura escurecera, mas para nós a luz era aquela mesma, cinza-azulado, que tínhamos ao sair do Ceilão. Já podíamos ouvir as bombas caindo e também o "rac-rac" das armas, que pareciam rasgar o ar a cada momento. Houve, então, um intervalo, e depois ouviu-se o rugido dos aviões de combate de um dos nossos esquadrões, que entravam em ação.

Foi a essa altura que me encontrei novamente com o meu amigo hindu, vendo que chegara para junto de nós. Ele sugeriu que fôssemos ver se podíamos ajudar. Não entendi o que ele queria dizer com isso, mas, fosse como fosse, segui-o. Imediatamente flutuamos acima dos prédios e nos encontramos sobre Londres, com bombardeiros inimigos e aviões de combate ingleses em torno de nós. Percebi que Charles já não estava conosco e mencionei isso, pensando que talvez se tivesse perdido de nós. Disse-me o hindu que ele sempre desaparecia quando ocorriam "brigas de cães", pois a lembrança do que lhe acontecera ao ser derrubado e morto, recentemente, ainda estava muito vívida em sua memória. "Provavelmente, vê-lo-emos mais tarde" — disse meu amigo hindu, mas a verdade é que não o vi depois, embora só agora esteja compreendendo isso.

Deslizamos entre aquele inferno que rugia, com as bombas e as metralhadoras fazendo-se ouvir durante todo o tempo. Pela primeira vez eu via o que era realmente a vida de um piloto de combate, e compreendi que algumas das ações irresponsáveis a que se entregavam entre seus trabalhos no ar, eram apenas o resultado natural da tensão em que se viam obrigados a viver quando em ação. Agora eu podia entender muito bem por que o velho ditado: "Coma, beba e viva alegre, pois amanhã morreremos" se referia definitivamente a eles. E quem pode censurá-los se procuravam alívio, de todas as maneiras, durante os breves períodos em que tinham liberdade para se divertir? Meu amigo acompanhou em particular o vôo de um avião de combate, que parecia estar no grosso da luta que se tratava naquele momento, tal como se soubesse o que ia acontecer, e dentro de alguns segundos um súbito espoucar de metralhadora atirou aquela máquina a rodopiar para o chão. Seguimos na mesma velocidade do avião, que ia girando, rodopiando em seu caminho para a terra, e vimos surgirem chamas, saídas do motor, chamas que aos poucos envolveram todo o avião. Com um estrondo angustioso, o avião alcançou o solo e o piloto foi atirado de sua carlinga, entre os despojos. Durante alguns momentos aquilo foi um verdadeiro inferno e, embora as ambulâncias chegassem quase que imediatamente, era óbvio que nada se poderia fazer pelo infortunado piloto.

— Agora o senhor vai ver como aqueles que têm conhecimento podem ajudar — disse o amigo hindu. E, quando pousamos no chão, vimos que embora o corpo do aviador estivesse terrivelmente queimado e mal reconhecível como o de um ser humano, o homem real, em seu corpo astral (presumivelmente) estava de pé ao lado do corpo que jazia no chão, parecendo apavorado e intensamente tomado de angústia. Quando meu guia adiantou-se e falou com ele, o moço não pareceu ouvir ou tomar qualquer conhecimento. Vi o que parecia ser uma cobertura de matéria densa tentando enrolar-se sobre a forma astral que estava de pé diante de nós. Parecia, antes, um espesso material elástico, e rodeava quase que completamente a bem recortada forma astral, levando esse processo de envolvimento apenas uns poucos segundos para se completar. Parecia que aquilo, que eu só poderia descrever como um espectro, vinha do corpo físico que jazia no chão, e estava sendo magneticamente atraído para o homem de pé, ali perto. Mais tarde disseram-me exatamente o que era aquilo, e a explicação que me foi dada era a de que o duplo etérico, que é forçado a deixar o corpo físico no momento da morte, enrola-se sobre o corpo astral, em seu esforço para reter alguma forma de vida, pois a morte do corpo físico significa também a morte do duplo etérico, que é parte dele.

Meu amigo hindu fez, então, um esforço decidido para que o moço se livrasse do medo que dele se apoderara, porque eu pude ouvi-lo dizer que nada havia a temer e que tudo estaria bem. O menino — porque era muito jovem — parecia estar fascinado pelo que acontecia em torno dele, no nível físico. Viu os homens da ambulância, depois de apagado o que restara do fogo que lavrara entre os restos de seu avião de combate, levantarem o corpo que fora seu e, reverentemente, levá-lo até a ambulância que estava à espera. Vi o rapaz vacilar, de vez em quando, à proporção que as bombas explodiam perto de nós. Ele queria seguir seu corpo, mas meu amigo dissuadiu-o disso, falando-lhe todo o tempo com voz suave, tentando fazê-lo compreender que suas angústias haviam terminado. Alguns habitantes permanentes do mundo astral, ali presentes, e facilmente distinguíveis do pessoal da ambulância e dos que estavam ajudando no nível físico, vieram até nós, indagando se precisávamos de auxílio. Meu amigo lhes disse que fossem ver outros, porque ele ficaria para tratar do nosso "caso".

Eu não ouvi, palavra por palavra, o que meu amigo dizia, mas, depois de certo tempo, percebi que um raio de compreensão parecia surgir no rosto do jovem, enquanto a matéria pendurada ao seu corpo astral começava a destacar-se, terminando por cair ao chão. Explicaram-me que isso era devido ao fato de o jovem ter recebido instruções para libertar-se daquilo através de um esforço da vontade. Depois de algum tempo toda aquela matéria estava no chão e pareceu evaporar-se em fumaça e pó. Mais tarde, disseram-me que ela se desintegrava muito rapidamente, porque a matéria etérica de que se formava era relativamente fina demais, comparada com a parte densa do corpo físico. O jovem parecia reviver. Sentou-se no chão, pôs a cabeça entre as mãos e soluçou histericamente. Meu amigo deixou-o chorar durante algum tempo, pois, como explicou, o corpo emocional ou astral do jovem tinha sofrido grave tensão, e as reações normais precisavam ser liberadas. O jovem, ao que parece, pensava ter fracassado, e mesmo então parecia não compreender que estava morto, e para sempre fora do inferno que havia conhecido. "Venha comigo e falaremos desse assunto" — disse meu amigo, tomando-o pelo braço, e, sem que o jovem parecesse reparar nisso, nós nos afastamos rapidamente daquele lugar. Dentro de uns poucos segundos estávamos distantes, no campo.

Meu amigo levou o jovem para um adorável recanto, próximo a um bosque, onde havia um pequeno riacho, seguindo o caminho que descia até o grande rio, mais abaixo, à margem do qual nos sentamos em silêncio, o que nos pareceu um céu depois do inferno que tínhamos acabado de deixar. Meu amigo começou a falar, demolindo, aos poucos, a sensação remanescente de medo e horror, enquanto o moço ouvia uma rápida explanação do que acontecera. De início, não queria acreditar que estivesse morto e repetia: "Como posso estar morto, se me sinto tão vivo?" Perguntamos, então, onde morava, e ele nos deu a informação. "Venha, então, e veremos se seu pai e sua mãe já estão dormindo." O jovem não podia compreender o que significava tudo aquilo, mas mostrou a casa em que sua família vivia, e que ficava atrás de Finchley, e ali encontramos seus pais que se tinham deitado, mas não tinham adormecido. O jovem não pareceu entender que houvesse estranhos caminhando dentro de sua casa e olhando para seus pais, e meu amigo continuava a falar com ele, como que para distrair-lhe a atenção do que, de outra forma, ser-lhe-ia muito estranho. Depois de algum tempo, primeiro seu pai, depois sua mãe, adormeceram, e saindo de seus corpos, pareceram extremamente alegres ao verem o filho. Meu amigo começou a contar-lhes o que tinha acontecido tentando prepará-los para a notícia que iriam receber no dia seguinte. De início, naturalmente, ficaram horrorizados com o que acontecera mas, ao compreenderem que seu filho não estava de forma alguma perdido para eles, e que poderiam vê-lo e ter contato com ele sempre que estivessem dormindo e fora de seus corpos, muito do desgosto que os ferira como o golpe de um malho desapareceu.

É uma grande pena que as pessoas não recordem o que viram e ouviram quando estão fora de seus corpos, como ocorre habitualmente. Contudo, posso entender agora por que tantas pessoas têm pressentimentos, antes que as más notícias sejam recebidas, de um acidente ou morte na família. Isso se dá porque o fato lhes havia sido contado no plano astral, e na manhã seguinte alguma ligeira lembrança lhes voltara à mente, com a consciência individual desperta.

Depois de passar algum tempo com eles, explicando-lhes, tanto quanto possível, o que a morte realmente significa, meu amigo sugeriu que o jovem fosse com ele, a fim de que pudesse ser apresentado a uma mulher, que já estava trabalhando no nível astral e que muito gostaria de dizer-lhe como adaptar-se, para viver naquelas condições modificadas. Deixamos, então, os pais do moço, que ainda permaneceram em sua casa astral conversando sobre o que lhes fora dito. Não se tratava de um casal muito evoluído, razão por que não se afastavam muito de seus corpos, que dormiam, pacificamente, beatificamente ignorantes do que seus donos teriam de enfrentar pela manhã, quando acordassem. Meu amigo hindu ficou imóvel por um momento, e emitiu o que me pareceu uma nota peculiar. Não foi um assobio, mas algo parecido... Imediatamente depois, uma mulher de cerca de trinta e cinco anos de idade subiu até nós (saída da névoa, eu diria) respondendo ao chamado. Meu amigo explicou-me que, para entrar em contato com alguém, no mundo astral, era preciso pensar fortemente na pessoa, e, se a questão fosse muito urgente, emitir a "nota verdadeira" correspondente, a fim de ajudar o pensamento. Fiquei sabendo que cada pessoa tem o que é conhecido como nota verdadeira, que é diferente da nota de qualquer outra pessoa. O chamado através dessa nota em casos urgentes, traz a pessoa ao local da chamada, no menor espaço de tempo. Ouvindo o chamado que lhe corresponde, a pessoa procurada é magneticamente atraída para quem a chamou. A mulher que respondera ao chamado do meu amigo era uma das muitas "auxiliares astrais", como são chamadas, que se dedicaram a ajudar os que vêm do mundo físico através do processo a que chamamos morte, e eu agora posso compreender, integralmente, o quanto é necessário e maravilhoso esse trabalho. Sem esses voluntários, não só os que morrem levariam muito mais tempo para se libertar do duplo etérico que se agarra a eles — e, sem fazerem isso, sua vida no nível astral não pode ter início apropriado — como não gozariam da vantagem de ter alguém que os instruísse sobre as diferentes condições regulamentares, vantagem que pode ser facilmente compreendida. Essa mulher foi logo informada sobre todos os fatos do nosso "caso" e, com afetuosa compreensão, que depressa colocou o jovem à vontade, levou-o consigo para começar sua educação astral. Meu amigo garantiu-me que isso acontece sempre. Ninguém é entregue a si próprio para descobrir as coisas, pois sempre alguém é designado a fim de realizar essa tarefa necessária. Dessa maneira, o recém-chegado logo começa a sentir-se firme, e entra na nova vida que deve substituir a antiga, agora deixada para trás.

Meu amigo perguntou-me, então, que horas eram e, olhando para um relógio próximo, vi que os ponteiros marcavam 2 horas. Isso significava que quatro horas se haviam passado desde que as sereias das incursões aéreas soaram, portanto deviam ser 6:30 horas no Ceilão. Meu amigo disse que tínhamos pouco mais de uma hora e que eu deveria voltar para meu corpo às 8 horas, em Colombo. Sugeriu que poderia me mostrar outros aspectos da vida que pode ser vivida no nível astral, por aqueles que não estão presos ao desejo de coisas que só têm ambiente físico. Disse-me, pois, que me conservasse junto dele, e tornamos a partir. Flutuamos sobre o mar, sem ver terra de nenhum lado. Perguntou-me ele se eu jamais tivera interesse em conhecer o que havia abaixo da água, e eu confessei, francamente, que nunca havia pensado muito nisso. Meu guia disse-me, então, que no nível astral era possível entrar em contato com entidades que pertenciam a uma evolução paralela. Que peixes e pássaros, por exemplo, não progrediam através do reino humano em seu caminho para a perfeição, mas viajavam ao longo de outra linha inteiramente diferente, a da evolução dos devas ou anjos. Antes de alcançar o padrão representado por um deva, entretanto, tinham de evoluir através de muitos estágios, compreendendo os elementais, os espíritos da Natureza, e semelhantes, e que, se eu quisesse entender algo sobre essa evolução, seria melhor começar pelo fundo, e ir tomando conhecimento deles na seqüência correta.

Propôs levar-me para baixo da água, avisando-me que, acontecesse o que acontecesse, eu não deveria me amedrontar, porque isso significaria a volta imediata ao meu corpo físico, sem nada recordar do que tinha visto e feito durante a noite. Insistiu na necessidade de me livrar do medo, em tudo o que se ligasse à vida fora das condições físicas, e perguntou-me se me sentia capaz de enfrentar o que acontecesse. Sempre fui o tipo de pessoa que gosta de tentar tudo; por isso expressei minha disposição de ir com ele. Disse-me para compreender que descer para o fundo da água não teria efeito algum sobre meu corpo astral, porque esse corpo não precisava respirar, e que, portanto, não havia diferença alguma para ele estar acima ou debaixo da água.

Descemos até a água e, embora o mar parecesse bastante agitado na superfície, não fez diferença para nós. A sensação, na água, pouco diferia da que tivera em terra. Não houve sugestão de variação na temperatura, à medida que submergíamos, coisa que fazíamos muito lentamente, para evitar que eu ficasse nervoso, mas não tive qualquer sensação desagradável. Quando minha cabeça ficou sob a água, alegrou-me verificar que a luz não se havia modificado. Era, ainda, a mesma luz cinza-azulada à qual eu estava-me habituando. Em torno de nós moviam-se formas, nas quais reconheci peixes, embora não nas quantidades que teria esperado ver. À proporção que descíamos, o número de peixes tornou-se menor, e os que eu via eram consideravelmente maiores e moviam-se muito mais devagar do que os da superfície. Havia, também, grandes vultos de algo que se parecia com pedras flutuantes, mas, ao nos aproximarmos, vi que tinham olhos fosforescentes, indicando alguma espécie de vida. Meu guia explicou-me que aquelas entidades estavam realmente vivas, no estágio de passagem do reino dos peixes para o dos elementais; que jamais chegavam à superfície nem viam nunca os seres humanos pois existiam em profundidades bastante fora do alcance das redes dos pescadores. Depois de muito pouco tempo, tal como compreendemos o tempo, alcançamos o fundo do mar, onde tornamos a caminhar sobre a terra firme. Não que aquilo se assemelhasse à terra, pois era pedregosa e ondulante. Mas, que visão para meus olhos! Todo o fundo do mar era um jardim: havia arbustos floridos, flores marítimas de muitas qualidades, e pedras que rebrilhavam com milhares de cores diferentes. Aqui e ali eu via cavernas, que não eram escuras, mas, certamente, menos iluminadas do que do lado de fora. E fui levado a uma delas. Tratava-se do lar de um dos elementais do mar, tão comuns no fundo do oceano. De início relutei em encarar aquela entidade, que era do tamanho de um elefante não adulto, e cujos olhos brilhavam na obscuridade da caverna com uma luz fosforescente que parecia quase magnética. Disse-me o meu guia que essas criaturas realmente atraíam seu alimento para elas, sob o aspecto de animais marinhos e peixes, pelo magnetismo de seus olhos. Eu sentia a atração magnética e, por um momento, tive um bocadinho de medo. Meu amigo hindu, contudo, que nunca estava longe de mim, garantiu-me que aquilo não poderia fazer-me mal algum e que eu não precisava temer. A criatura para a qual olhávamos, era óbvio, estava consciente da nossa presença. Disse-me ele ainda que o que nós estávamos vendo era o seu corpo astral.

Saímos da caverna, e lá estava eu, novamente, fartando-me com as belezas que me rodeavam, quando ouvi um som monótono, soluçante, que de certa forma parecia música. Ficamos imóveis e, ao aproximar-se o som, logo vi um grupo de cerca de vinte estranhas criaturas: nem peixes, nem animais, nem homens. Tinham cabeças de seres humanos, já que suas feições assemelhavam-se a feições humanas, mas seus corpos estavam inteiramente envolvidos no que parecia ser uma alga marinha flutuante, embora muito mais bela do que tudo quanto eu vira até ali. Flutuando por perto, logo acima do fundo do oceano, cantavam uma canção, enquanto algumas dentre elas tocavam uma flauta sobrenatural, instrumento que emitia um som queixoso, reminiscente do som do vento. O resultado era muito belo, e meu guia informou-me de que se tratava de alguns espíritos do mar que moravam nas águas profundas. Eu poderia ter ficado a ouvir essa música por muito tempo, porque havia um suave refrão que ia e vinha, sempre repetindo, com notas de certo modo indistintas, porém mais ou menos mescladas umas às outras num todo harmonioso. Era, realmente, uma sinfonia do mar que eu desejava ouvir mais. Disse-me o guia que eu poderia fazer isso facilmente noutra ocasião em que o desejasse, mas que agora já era tempo de continuar nosso caminho.

Conservei-me junto a meu guia e depressa emergimos à superfície do mar e, sem esforço de qualquer espécie, subimos para o ar e continuamos nossa viagem. Uma vez mais viajamos, a uma velocidade que deveria ser tremenda, a julgar pelos padrões da terra, embora não houvesse realmente tal sensação, pois, passados alguns minutos, como que diminuímos o avanço e descemos, quando vi que estávamos em cima do porto de Colombo. Um momento depois flutuávamos através da janela do meu quarto, em meu *bungalow*, de onde tínhamos saído havia menos de dez horas.

Ali, era bem verdade, estava meu corpo, aparentemente adormecido sobre a cama, mas, enquanto eu ainda olhava para ele, reparei que se movia e virava-se de um lado, ficando de costas. Meu guia chamou-me a atenção para o fato, explicando-me que, subconscientemente, o corpo estava começando a compreender que chegava a hora de acordar, e que dentro de alguns minutos um S.O.S. seria enviado e que, mesmo que eu estivesse a milhares de milhas de distância, teria de retornar imediatamente, pois esse chamado queria dizer que o corpo físico tinha tido sua cota apropriada de sono e desejava retornar a seu trabalho no mundo.

Perguntei como era possível garantir que o corpo continuasse a dormir por um número específico de horas. Ele respondeu que era difícil garantir tal coisa, mas que com muito treino e concentração seria possível disciplinar o corpo para que agisse de acordo com o desejo da pessoa. Entretanto, seria necessário muito tempo e muito treinamento para fazer isso de modo correto. Indaguei se o comprimido que tomara antes de me deitar, na noite anterior, tinha algo a ver com aquilo, e soube que, naquele caso, isso era verdade. O comprimido era uma quantidade especial de calmante, feita com uma fórmula secreta, que não só garantia o sono da pessoa quase que imediatamente, mas que manteria o corpo adormecido por um período de dez horas, a não ser que fosse acordado por um ruído extraordinário ou tocado por um agente externo. Foi-me recomendado que, se quisesse ter lembrança do que fizera quando fora de meu corpo, ao retornar à consciência física, seria essencial que eu treinasse os criados para jamais me acordarem ou fazer qualquer ruído próximo de meu quarto, durante o período em que eu desejasse me conservar adormecido.

Meu amigo hindu disse-me, então, que era tempo de retornar a meu corpo, e que ele iria empenhar-se por imprimir nas células cerebrais daquele corpo a necessidade de recordar o que acontecera durante a noite, de forma que não houvesse real quebra da consciência no momento em que acordasse. Disse-me, ainda, que assim que estivesse consciente, em meu corpo físico, tomasse notas do que fizera durante a noite, e que, logo que tivesse tomado meu banho e me alimentado, não perdesse tempo e escrevesse, com pormenores, tudo quanto me viesse à lembrança.

Quase ao mesmo instante em que meu guia acabava de falar, senti que ia, aos poucos, deslizando *para dentro* de meu corpo, novamente, e acordei sem ter sentido qualquer lapso da consciência, tal como ele esperara. Sentei-me na cama, puxei para junto de mim um bloco e um lápis que colocara à cabeceira e comecei a tomar notas do que fizeram comigo, porque percebi que, mesmo com as chamadas que anotara, foi difícil recordar exatamente o que acontecera quando, mais tarde, escrevi por inteiro meu relatório. Contudo, verei o quanto minha memória foi fiel quando mostrar este registro a meu visitante, amanhã, porque ele disse que voltaria para continuar suas palestras.

Capítulo 5

*F*oi inútil. Na noite passada fiz todos os preparativos e concentrei-me na idéia de que me estava vendo num espelho, mas esta manhã não me lembrei de nada. Adormeci quase no mesmo instante em que encostei a cabeça no travesseiro, pois acho que estava cansado depois de toda a concentração da noite anterior para fazer meu relato. Pareceu-me apenas um espaço muito pequeno de tempo o que transcorreu antes que eu acordasse, esta manhã, animado e madrugador, depois do descanso de uma noite sem sonhos. Sim, nem mesmo um sonho perturbou meu sono, e devo dizer que estou desapontado, embora possivelmente tivesse esperado demais. Dentro de uma hora meu amigo hindu estará aqui, e talvez explique por que falhei na noite passada, de maneira tão melancólica.

Exatamente às 11 horas, quando estava relendo minhas notas, na incerteza do que ele iria pensar sobre elas, meu amigo abriu a porta. Sabia, era óbvio, que eu estava um tantinho excitado, cogitando em ver se falhara ao recordar muita coisa sobre minha viagem astral, porque seus olhos cintilavam ao perguntar-me se o relatório estava pronto. Ele nunca parecia rir, embora seus olhos sorrissem com freqüência, e não havia dúvida, absolutamente, de que tinha um senso de humor altamente desenvolvido.

Tendo lido minhas notas, felicitou-me por ter-me lembrado muito, e disse que, tratando-se de uma primeira tentativa, as notas estavam bem acima da média. Perguntei-lhe se havia esquecido muita coisa, ao que respondeu que deixara de reparar, certamente, em diversas coisas quando estávamos no fundo do mar, e que também não recordara muito do que acontecera quando tentávamos ajudar o jovem piloto do bombardeiro, imediatamente depois que ele fora abatido. Tais omissões não eram importantes; o principal era que eu tinha provado a mim mesmo ser possível recordar o que se faz quando se está fora do corpo, e que o aperfeiçoamento do processo de "trazer de volta", no caso, era agora apenas uma questão de tempo e de concentração.

— Mas por que não pude recordar coisa alguma esta manhã?

Ele sorriu e fez sentir que eu não devia esperar ser bem-sucedido logo na primeira tentativa, e que devia estar preparado para muitos desapontamentos, mas que, se estivesse realmente determinado a vencer, ele me ajudaria de todas as formas possíveis. E continuou: — Suas aventuras na noite anterior à de ontem tornaram minha tarefa de descrever-lhe o plano astral muito mais fácil do que antes, porque agora o senhor sabe, por experiência própria, algo do que eu me havia esforçado por lhe explicar só por palavras. O senhor aprendeu, portanto, a primeira lição do que chamamos sabedoria oculta, o que significa que não deve nunca acreditar, ingenuamente, em tudo quanto lhe disserem. Também não deve descrer, porque isso seria insensato. O único método a adotar é aceitar a possibilidade das coisas que lhe dizem, e então dispor-se a encontrar a forma de ter, por si próprio, as provas do que ouviu.

— Bem, e o que *provamos* até agora? É por aqui que eu quero começar. O senhor teve a prova de que é possível ter experiências fora de seu corpo físico. Teve a prova de que a morte não é o que pensava que fosse, pois viu seu jovem irmão Charles e sabe que ele está realmente bem vivo, embora invisível a seus olhos, quando o senhor funciona em seu corpo físico. Falou com ele, e isso deveria ser prova suficiente de que ele existe numa região onde pode segui-lo em determinadas ocasiões. Está consciente de que, embora Charles ainda saiba muito pouco sobre as condições do plano astral, o senhor não pode dizer, honestamente, que ele está sofrendo, nem que a vida dele é infeliz, ou algo que faria um homem recuar. Portanto, deu um passo no sentido de se libertar do medo da morte, o medo que faz tão profunda impressão em tantos homens que vivem no mundo. Mesmo através do seu conhecimento presente, o senhor sabe que a morte não é a tragédia que tão freqüentemente se considera ser, e que, em alguns casos, ela bem pode ser considerada não só um alívio como uma grande bênção. Viu, por si mesmo, que a existência depois da morte é, em grande parte, governada pelo tipo de vida vivida no mundo — e pode compreender que os que têm inclinações artísticas, ou são interessados em um ou outro ramo específico da arte, como a música, a pintura, a literatura ou a filosofia, ou mesmo aqueles cujo interesse especial é viajar, continuam a atender a esses desejos após a morte. Por outro lado, o senhor pode compreender, também, que aqueles cujas vidas aqui são puramente materiais, cujos divertimentos e interesses dependem do corpo físico, que antes de mais nada são atraídos para o esporte, para a boa vida, para formas de negócios cuja meta seja ganhar dinheiro, vão achar que o tempo lhes pesa nas mãos, depois da morte, até que compreendam que podem desenvolver novos interesses.

Perguntei: — Como se pode desenvolver novos interesses depois da morte?

— Da mesma forma como se poderia desenvolvê-los durante nossa existência, se tivéssemos lazer suficiente e dinheiro bastante para pagar as taxas do ensino necessário. No nível astral, embora o senhor ainda não as tenha visto pessoalmente, existem escolas, por causa da grande necessidade de treinar os habitantes permanentes daquele mundo quanto aos interesses de que carecem para a vida que está diante deles. Essas escolas servem a um duplo propósito: não só ensinam aos alunos tudo sobre as condições do nível astral, e sobre a melhor maneira de usar as condições ali existentes para seu prazer e educação, como oferecem cursos de instrução em todos os assuntos, para cuja realização não sejam necessárias as condições físicas.

"A maioria dos verdadeiros musicistas, artistas, filósofos, e os que foram professores no mundo físico, goza de grande alegria por transmitir parte de seu conhecimento e experiência aos que deles carecem, mas que estão suficientemente interessados para desejar aprender. A ausência do fator tempo — a ausência da necessidade de dormir oito horas nas vinte e quatro do dia — também ajuda consideravelmente. Se peritos em sua matéria derem apenas três ou quatro horas do dia de treinamento aos novos estudantes, o tempo empregado nessa tarefa não é de forma alguma um ônus, porque eles terão ainda o que sobra das vinte e quatro horas de cada dia para seus próprios projetos. Mas o que realmente ocorre é que muitos desses professores e especialistas em sua arte sentem tanto prazer em dar forma ao novo material que se ligam voluntariamente a essas escolas, e com freqüência passam mais da metade de seu tempo no nível astral a ensinar a outros os rudimentos de sua arte, ou, em alguns casos, a ajudar os que já desenvolveram certa proficiência a se tornarem adeptos, sob o ensino concentrado de que se dispõe no plano astral.

"Não só essas escolas têm tremenda parte na vida do mundo astral, como influenciam, indubitavelmente, a vida futura de seus alunos. Se, no nível astral, um homem desenvolveu o amor por qualquer arte ou ciência, nasce na sua próxima vida em plano físico com o *desejo* de continuar esse estudo, e assim encontramos crianças que mostram, desde tenra idade, uma aptidão entusiástica para uma coisa ou outra, que talvez não seja, sob qualquer aspecto, uma característica de seus pais. Esse aprendizado em relação a uma arte sempre deve ser encorajado. Os pais muitas vezes afirmam o contrário pois que eles próprios conseguiram triunfar na vida sem esse amadorismo. Contudo, isso constitui um grande erro e, se os pais percebessem que o grande desejo do filho é perfeitamente natural, que ele está realmente ansioso por levar adiante o que exercitou durante sua descuidosa vida astral, compreenderiam, é provável, que desejos assim devem ser encorajados e não esmagados, como com tanta freqüência acontece. Tanto neste mundo, como no próximo, nós estamos todo o tempo progredindo e tornando nossas vidas futuras mais felizes e mais completas.

"Os habitantes permanentes descobrem essas escolas de maneira diferente, e sempre a um estágio em que elas lhes serão mais úteis. Quando compreendem, pela primeira vez, que estão vivendo no mundo astral, é inteiramente inútil mencionar essas coisas a eles, porque depressa responderão que não desejam voltar de novo à escola. Querem divertir-se. Durante os primeiros meses a oportunidade de viajar em torno do mundo, de ver todos os países que não tiveram a chance de visitar enquanto estavam neste plano, habitualmente os satisfaz.

"O senhor deve se lembrar de que Roy Chapman, o amigo de seu irmão, confessou que de vez em quando sente tédio. Ele fez todas essas coisas. Conquistou alguns amigos, naturalmente, e teve o prazer de levá-los a jantares, a *shows*, a piqueniques e a coisas assim, mas depois de algum tempo isso se torna insípido. Durante sua existência Roy foi um exímio jogador de golfe, mas o golfe não é interessante no mundo astral, como o é aqui. Um homem como Roy cansa-se, sem dúvida, das coisas que esteve fazendo nos últimos seis meses, mais ou menos, e quando isso acontecer ele não hesitará em expressar seu tédio a outros que conhecerá naquele mundo. Então, um dia, alguém ao qual ele foi apresentado irá mencionar diante ele as oportunidades existentes para aumentar o conhecimento ou desenvolver-se em uma linha particular de arte ou estudo. De início, ele não mostrará entusiasmo, mas depressa compreenderá que aprender alguma coisa inteiramente nova preencherá suas longas horas. Por fim, seu interesse despertará, e outra vontade terá então passado do estágio materialista para a vida que faz da nossa estadia no nível astral algo que parece demasiadamente curto.

"Há outros para os quais esses novos interesses não têm qualquer atrativo. Trata-se, habitualmente, de velhos casais, que desenvolveram o gosto pela vida doméstica. Tudo quanto aspiraram foi ter um lar, um jardim e viver uma vida tranqüila, entre amigos. Gostavam de ouvir rádio, de ter um aparelho de televisão e de coisas assim. Sua felicidade dependia de estarem juntos. Eles podem levar esse tipo de vida no nível astral, sem qualquer dificuldade. Se o homem morre primeiro, perambula por lá, parecendo infeliz e solitário, nas horas em que sua esposa está acordada, e apresenta-se a seu encontro mal ela sai de seu corpo, quando adormece. Sugerir a esse homem que há escolas onde ele pode aprender algo é, habitualmente, perda de tempo. Ele desdenha essa idéia. Tudo o que deseja é um lar confortável, com sua companheira. Ele se empenha em descobrir formas e meios de viver da maneira que ele e a mulher apreciarão, quando se reunirem. Ele aprende que é a coisa mais simples isso de ter uma casa e um jardim exatamente de acordo com suas idéias favoritas, bastando expressar, em pensamento, o desejo correspondente. Procura o lugar mais bonito disponível e, quando a mulher chega, constroem a casa de seus sonhos, mobiliando-a exatamente como teriam gostado de fazê-lo no mundo, se tivessem tido os meios necessários para isso. Agora, um pensamento produz exatamente as coisas desejadas e, com freqüência, pensam em maravilhosos artefatos que dispensam o trabalho doméstico. Às vezes, esses artefatos são vistos por negociantes, que tomam nota deles, e em sua próxima vida inventam coisas semelhantes. Esse velho casal tem um estéreo ultramoderno e cria, em pensamento, o necessário número de criados para atender às suas ordens. Criam um jardim com qualquer forma de fruto ou de flor que desejarem, porque ali não há limitações de clima. Recebem os amigos, sentem prazer ao mostrar suas invenções e vivem muito felizes no plano astral. Freqüentemente ligam-se a animais de estimação que tiveram na terra, ou adotam outros.

"O beatífico estado do velho casal que acabamos de descrever não é tão comum como se pode supor. Homens e mulheres se casam por várias razões. Às vezes, é a atração física que os atrai e reúne; às vezes é a fortuna. Mesmo a solidão tem seu papel na reunião dos indivíduos. É muito raro vermos o que descreveríamos como um par ideal — duas pessoas cujas visões da vida se encaixam uma na outra, cuja situação evolutiva é a mesma, cada qual tendo inteligência suficiente para poder penetrar no problema do outro. Tais uniões são raras e ocultamente não se mostram grandemente desejáveis, pois é bom que um homem evoluído se sinta atraído de alguma forma particular por uma companheira menos evoluída.

"Quando se ouve comentar: — Que pena John ter casado com Mary! Tão diferentes, não acham? — devemos compreender que, se a pessoa que fala tivesse mais experiência, saberia que ambos esses jovens estão destinados a se beneficiar consideravelmente dos poucos anos que passarem juntos. O resultado imediato dessa união, aparentemente inadequada, é, invariavelmente, uma série de dificuldades para ambas as partes: há sempre um choque de interesses. Talvez o homem tenha sido atraído para a mulher por seus dotes físicos. Depois de algum tempo, essa "atração" diminui (embora seja improvável que deixe de existir por completo) e as duas pessoas são levadas de volta ao companheirismo, como único laço capaz de mantê-las juntas. O companheirismo, entretanto, não é fácil, quando os gostos e desejos de duas pessoas são diferentes. No caso em que o homem é o mais evoluído dos dois, seu interesse reside nos livros, na música, no lado sério da vida, enquanto a mulher deseja ir a qualquer lugar de diversão freqüentado pelos amigos do momento. Ocorre um choque de idéias e há muitas discussões e desentendimentos. Se não houver filhos, às vezes o casamento se rompe, somente pela incompatibilidade de temperamentos, mas é uma grande lástima que tal coisa aconteça, pois que é através da disparidade das duas pessoas em questão que se ganha muita experiência e conhecimento. O homem deve aprender um método de ir buscar a companheira ao meio do caminho. Quando pensa em meios e modos de fazer isso, compreende que deve começar por despertar o interesse da sua esposa para o nível educacional — cuidando, ao mesmo tempo, para que ela não perceba seu esforço nisso, para que a esposa não desenvolva um complexo de inferioridade. Deve aprender a ser paciente, se, por inexperiência, ela insiste em coisas que o marido sabe serem insensatas ou desnecessárias. Ciente do que está errado, ele deve ceder, às vezes, de forma que ela possa ver os resultados do erro que cometeu. A mulher não deseja ser sempre conduzida, mesmo quando, em seu subconsciente, compreende que seu companheiro de vida é mais sensato do que ela. Se duas pessoas *podem* passar uma existência juntas, o benefício para ambas é realmente grande: uma terá a vantagem de ser guiada por uma inteligência superior e de maior experiência, desenvolvendo desse modo o caráter, enquanto a outra teve de aprender o valor da paciência, do tato, da necessidade de ver as coisas sob o ponto de vista alheio, um ponto de vista que, em virtude da falta de experiência, deve ser mais limitado que o seu.

"Depois da morte, essas duas pessoas não continuam, necessariamente, a viver juntas. O homem talvez sinta o desejo de passar o tempo entre mentalidades mais altas do que a sua, enquanto a mulher, que durante muitos anos, na Terra, fora forçada a viver sob pressão, tentando manter um padrão de vida que para ela sempre representara um esforço, agora deseja recostar-se e levar as coisas com calma por algum tempo. Habitualmente, depois de um curto período de relativa inatividade, ela sente que as sementes plantadas durante sua existência provocam-lhe, agora, um forte desejo de continuar o desenvolvimento já iniciado. Acha que já não obtém completa satisfação com as diversões artificiais que outrora tanto desejava, e que a levavam a oprimir o marido, indiferente, para consegui-las. Seu apetite mental foi estimulado, e ela percebe que lhe é impossível retornar aos padrões do tempo de seu casamento no plano físico. Essa mulher lhe dirá que não teve uma vida particularmente feliz, mas que, agora que essa vida terminou, alegra-se por ter o Destino decretado que aquela experiência lhe fosse proporcionada.

"Acontece, com freqüência, que duas pessoas, tendo vivido juntas durante toda uma existência, não tornam a ter contato uma com a outra, nem depois da morte nem em vidas futuras. Serviram-se mutuamente, ambas se beneficiaram por terem estado juntas durante um período de tempo, mas sua visão da vida é demasiado diferente para que sejam naturalmente atraídas uma pela outra. Nesse caso, é possível que o homem tenha vivido pelo menos cinqüenta a cem vidas mais do que a mulher. Naturalmente, sua compreensão do vasto "plano" seria maior do que a dela, seu reservatório de conhecimento (o acúmulo das experiências de vidas passadas) seria maior do que o dela e, sob todos os aspectos, ele poderia ser visto com um ser superior. Mas não se esqueça de que, há cem vidas da presente, ele estava no mesmo ponto em que a esposa no momento, e beneficiou-se, provavelmente, do fato de ter sido forçado a passar uma existência com alguém muito mais desenvolvido que ele.

"Provavelmente, o senhor já ouviu dizer que todos temos o que é conhecido como alma gêmea, e que sempre devemos estar à procura dessa pessoa. É verdade, realmente, que as almas gêmeas existem, porque, de início, quando a força da vida é enviada pelo Poder Divino, emerge para a vida sob a forma de gêmeos, um masculino, outro feminino. Essas duas formas evoluem bem separadamente, cada qual com sua cota de vidas em corpos de homens e de mulheres, mas, em ocasiões especiais, quando um grande trabalho tem de ser feito, essas duas entidades às vezes são reunidas, porque a inspiração de uma capacita a outra a levar adiante a gigantesca tarefa que tem de ser realizada. Um grande homem que alcançou sua meta, diz, muitas vezes, que nunca poderia ter feito o que fez sem o auxílio, a ponderação e o poder fortalecedor da mulher. Isso não quer dizer que eles tenham sido almas gêmeas, mas pode significar exatamente isso e, quando tal coisa acontece, as duas pessoas parecem agir como uma grande unidade, e não só pensam os mesmos pensamentos, mas sentem, instintivamente, o que é correto para ambos. Trata-se, naturalmente, da perfeita fusão do positivo e do negativo, do macho e da fêmea, na Natureza. Não seria bom para nós viver sempre com a nossa alma gêmea, porque, sob tais circunstâncias, tenderíamos a nos tornar muito egoístas. Nunca aprenderíamos a ver as coisas sob o ponto de vista alheio, nem tratar com idéias opostas às nossas, nem ceder para realizar algo, em lugar de ficar firme e nada produzir.

"Esses exemplos dão-lhe uma pequena idéia da maneira pela qual os egos são assistidos ao longo de sua viagem evolutiva. É através de dificuldades, tais como a de viver com pessoas que não sintonizam em todos os pontos conosco, que aprendemos a verdadeira tolerância. Uma vida agradável e tranqüila não é, necessariamente, a melhor vida. Progredimos muito mais depressa ao longo do caminho da evolução, pelo sofrimento e pelo que amiúde parece ser um método duro e impiedoso. Cada vida é um dia na escola da evolução, e se temos que levar avante o propósito para o qual nos encarnamos, não podemos nos permitir desperdícios de oportunidades.

"Amanhã eu lhe falarei de algumas coisas sobre os não-humanos habitantes do mundo astral, depois do que tornarei a levá-lo a uma viagem astral, de forma que possa ver, pessoalmente, que os seres humanos astrais ajustam-se ao que pode ser descrito como reações normais que revestem o indivíduo em questão, no plano físico."

Capítulo 6

$\mathcal{A}$ expectativa de ser levado a fazer outra viagem astral com meu professor hindu me deixou bastante excitado e, pensando sobre o que poderia acontecer, perdi parte de meu desapontamento por não ter conseguido qualquer resultado quando a sós. Na noite passada concentrei-me para me ver ao espelho, deitado na cama, tal como fizera na noite em que fui auxiliado. Quando acordei, pela manhã, senti-me repousado, lembrei-me de que demorara muito a dormir, mas não consegui lembrar absolutamente nada do que me acontecera depois que perdi a consciência. *Preciso* saber como funciona essa história de trazer de volta as coisas. Sei que não adianta eu me preocupar por não conhecer imediatamente os truques do negócio, pois a preocupação mais atrapalha do que ajuda. Penso que a única coisa que posso fazer é perseverar na concentração, que, me disseram, constitui parte importante do processo, até conseguir um pequeno início, a partir do qual possa trabalhar.

— É inútil sentir-se desapontado. — Meu amigo estava de pé atrás de mim, enquanto eu escrevia. Eu não o ouvira abrir a porta. — Isso é o que acontece em tantos casos. As pessoas vêem um relance da verdade e, por não conseguirem fazer imediatamente as coisas que sabem ser possíveis para outras, ficam desencorajadas e deixam de tentar. Muitas vezes as pessoas dizem: É evidente que a vida oculta não é para mim. — Contudo, para conseguir resultados, é preciso apenas ter um pouco de paciência e de determinação, no sentido de romper a parede que separa nossa existência mundana da vida que levamos quando estamos adormecidos. Não espere demais, meu amigo. Lembre-se de que há menos de duas semanas o senhor estava sentado aqui, curvado pelo sofrimento, sem sequer ter a certeza de que a morte é a seqüência lógica da vida. Agora, pelo menos, já sabe alguma coisa, e depressa terá oportunidade de saber mais.

"O senhor está pensando: — Por que não há mais pessoas cientes dessas coisas? — Talvez não tenham implorado por conhecimento, por auxílio, como fez o senhor. Talvez estejam satisfeitas com uma das muitas religiões ortodoxas, que lhes dizem que tenham fé e acreditem que tudo o que recebem corresponde à vontade de Deus. Todos os acontecimentos, certamente, são a vontade de Deus, mas tudo será mais fácil se compreendermos por que tudo isso ocorre. Será mais fácil se houver uma resposta lógica para cada pergunta. Se for possível, igualmente, que cada pessoa que faz algum esforço tenha prova das coisas por si mesma, como resultado teremos a inutilidade das declarações baseadas na fé. A fé é sempre boa, mas o conhecimento é melhor. Devemos ter fé enquanto adquirimos conhecimento e, aconteça o que acontecer, jamais devemos desanimar. A evolução é um processo lento, e raramente pode ser apressado, embora as atividades de uma pessoa possam ser inspiradas pelo encorajamento e pelo auxílio dado no momento preciso.

"Até aqui o senhor viu apenas um minúsculo setor do mundo astral, o setor habitualmente ocupado por aqueles que passaram recentemente a esse mundo através da porta conhecida como morte. Desde que eles se tenham estabelecido como habitantes do mundo astral, raramente visitarão esses lugares, embora possam visitá-los, se quiserem. Fará isso de vez em quando, quando, por exemplo for ao encontro de parentes e amigos especiais que morrem, e precisam de algum auxílio dos habitantes permanentes, exatamente do mesmo modo pelo qual pede o auxílio de amigos que moram em país estrangeiro que o senhor está visitando como turista ou como novo morador.

"O mundo astral é dividido no que se conhece como esferas, níveis e subplanos. É necessário saber que tais esferas existem, ou jamais conseguirá compreender como trabalha a maquinaria desse mundo. A maioria dos professores ilustram esse ponto pedindo aos estudantes que compreendam a esfera mais densa do mundo astral como se se tratasse dos estados existentes quando estamos de pé sobre o solo. Nessa esfera há uma reprodução de tudo quanto existe no mundo físico. Onde existe uma cidade ou um edifício, no mundo físico, há também, na matéria astral, a réplica ou reflexo dessa cidade ou desse edifício, que podemos ver bem claramente quando funcionamos no nível astral em nosso corpo astral. Imagine a reprodução astral de *Picadilly Circus*, em Londres, que visitou há algumas noites, como representativa da ruidosa esfera mais baixa. Depois, imagine um mundo semelhante, uns 1.500 metros acima, digamos, do mundo mais baixo, ao qual podemos nos transportar num segundo, por um esforço da vontade. Isso corresponde à segunda esfera astral, menos densa do que a primeira, mas ainda bastante materialística e em afinidade com as condições do plano físico. Se o senhor estivesse existindo a uns 1.500 metros acima de Londres poderia, ainda, ouvir algo do troar do tráfego daquela cidade, e o ruído que é sempre parte da vida de uma grande cidade, mas isso seria apenas um murmúrio, comparado com o ruído que se ouve quando se está no andar térreo, por assim dizer. Agora, imagine uma terceira esfera de consciência, já outros 1.500 metros acima da segunda esfera, e o senhor pode visualizar a probabilidade de que, quando vivermos na terceira esfera do mundo astral, ficaremos bem distantes do ruído e da azáfama da cidade de Londres, e que não só nos sentiríamos imunes à sua existência, como estaríamos mais ou menos inconscientes dessa mesma existência.

Há sete esferas de consciência no mundo astral, cada uma delas menos material do que a que lhe está "abaixo", e os habitantes permanentes podem passar sua vida astral em qualquer dessas esferas, de acordo com seus desejos naturais. Por exemplo: um homem pode passar algumas semanas na primeira esfera, depois os próximos dois anos na segunda, passando mais tarde para a terceira e para a quarta, conforme seus hábitos e desejos se vão tornando menos materiais e mais artísticos, intelectuais ou espirituais. Assim, nunca há possibilidade de haver excesso de população naquele mundo.

"No mundo físico, a escolha quanto ao lugar onde se viverá é limitada. Por causa de seu trabalho, através do qual o homem ganha o dinheiro necessário à sua vida aqui, ele pode ser forçado a viver em lugares que de outra maneira não escolheria. Muitos são inabitáveis, devido ao clima ou a outras dificuldades. Os homens não podem viver confortavelmente nem no Pólo Norte nem no Pólo Sul, dado o frio extremo e outras limitações, tais como a falta de sol e de luz do dia durante certas épocas do ano. Não podem viver nos muitos desertos existentes, devido à falta de água. Não podem viver na selva espessa, porque ali existem animais selvagens, que eles terão de exterminar antes de poder construir uma casa com segurança e nela viver. No mundo astral eles não encontram essas limitações. O clima, no Pólo Norte como no Pólo Sul, é o mesmo de toda parte, no plano astral. Não há limitações de luz, porque a luz é a mesma durante as vinte e quatro horas de cada dia. No deserto eles não precisam de água. Se desejam viver na reprodução astral das selvas, poderão fazê-lo. Não haverá animais selvagens para atacá-los, porque assim como o homem aprende que não pode fazer mal a um animal, no mundo astral, também os animais aprendem que não podem fazer mal ao homem. Além disso, há sete esferas de consciência para escolher, de modo que sempre é possível conseguir as condições necessárias para tornar praticável o tipo de vida desejado, em ambientes que estarão de acordo com o desenvolvimento emocional, mental e espiritual do homem. Desde que tenha noção desses diferentes tipos de existência, que formam a vida que se segue à que temos aqui, será fácil para o senhor ver que todas as partes do quebra-cabeça se encaixam perfeitamente em seus lugares, e o Caminho Evolutivo torna-se uma seqüência lógica de acontecimentos controlados pelas leis da Natureza, tão segura na teoria como na prática.

"Todos esses fatos são explicados e ensinados nas escolas que existem em algumas das esferas astrais, e é quase sempre através dessas escolas, das quais toma conhecimento de uma forma ou de outra, quando chega o devido tempo, que o impulso ou desejo de passar de uma esfera para a outra vem a nascer. Nessas escolas, a entidade astral vê de que modo pode transportar-se de um nível para outro — originando-se essa mudança através de um esforço da vontade feito de uma forma particular, porque, embora a matéria da qual se compõe uma esfera seja diferente da matéria que compõe as outras esferas, nossos corpos astrais incluem matéria semelhante à de todas as esferas, e é apenas um problema de tornar ativos os átomos do nosso corpo relativos à esfera em questão para que possamos funcionar plenamente na escolhida. Mas um ponto na instrução da entidade astral diz que uma pessoa que funciona na segunda esfera não se pode comunicar, ou ter contato, com outra que funcione na primeira — nem uma pessoa da terceira esfera com uma da segunda. Se um homem que vive no terceiro nível deseja, por alguma razão, comunicar-se com uma pessoa que vive no primeiro deve descer novamente ao primeiro nível, por ação da vontade, que, conforme eu disse, faz com que os átomos do corpo relativos à primeira esfera se tornem novamente ativos. O mesmo processo é aplicado quando se "sobe" ou se "desce". A vida expressa nas diferentes esferas é separada e, para todos os fins e propósitos, autocontida, da mesma maneira, exatamente, com que a vida na Inglaterra é separada e diferente da vida na Índia. Ambos os países são parte do mundo físico. Todas as esferas são parte do mundo astral, mas trabalham separadamente e por motivos definidos.

"A parte mais material do mundo astral — a parte mais densa — é a esfera que nos circunda imediatamente depois da morte e, enquanto vivemos nessa parte mais densa do mundo astral, vemos todas as coisas que estão ao nosso redor como as víamos quando estávamos vivendo no mundo físico. Digamos que o senhor tivesse vivido toda a sua existência em Londres. É mais do que provável que, depois da morte, permanecesse na reprodução ou reflexo astral de Londres, apenas porque, para começar, deseja permanecer em contato com alguma coisa que compreenda, deseja ver pessoas a seu redor e ter um lar perfeito onde possa receber os amigos, como antes. Então, um dia, talvez um amigo lhe faça sentir que a vida numa cidade tem poucas vantagens no mundo astral, e sugere que vá conhecer as belezas da zona rural. Pode, facilmente, visualizar a diferença na atmosfera de uma existência entre os fervilhantes milhões de uma metrópole e a da relativa paz de uma aldeia no campo, onde os habitantes são contados às dezenas, e não aos milhões. Esta é a segunda esfera, que, na falta de melhor descrição, sugeri que fosse considerada como estando a uns 1.500 metros acima da primeira esfera. Ali encontrará muitas famílias vivendo uma existência feliz, com movimento social, e as coisas costumeiras que correspondem à idéia de uma perfeita vida no campo.

"O senhor pode viver nessas esferas tanto quanto quiser. Um tipo de pessoa muito rústica e material é mais feliz na parte mais densa do mundo astral, pois essa é a parte mais próxima e mais parecida ao mundo físico ao qual ela se sente tão ligada, e ali continua a viver sua limitada existência. Essas não são as esferas nas quais uma pessoa evoluída — um homem que tem certo ambiente espiritual — seria particularmente feliz se fosse forçado a permanecer em tais condições por muito tempo. Não é forçado a isso e, depois de passar pelo período de purgatório, no qual lhe mostram o resultado das boas e más ações de sua vida passada, cuja compreensão influenciará seu futuro caráter, começa a sentir o impulso de sair de tudo quanto seja semelhante à vida que terminou, e chega até ele a revelação das imensas possibilidades de experiências interessantes e proveitosas que o esperam nas esferas mais altas e menos densas do mundo astral. Eventualmente, ele se instala para viver sua vida astral rodeado de condições que se coadunam com o seu desenvolvimento real, e isso pode ocorrer na terceira esfera, onde encontra o tipo de indivíduo criador — musicistas, artistas, cientistas, etc. — ou na quarta esfera, onde pode discutir problemas do mundo com homens de intelecto mais poderoso do que o seu.

"Quando uma entidade astral de origem humana alcança essas esferas, torna-se consciente de que elas são habitadas por outras entidades que, segundo descobre, são de origem não-humana. É importante que o senhor saiba alguma coisa sobre essas entidades e sobre sua origem, antes de maior experiência astral. Por isso vou falar-lhe algo sobre elas. Essas entidades pertencem a uma evolução paralela, chamada de reino dos devas ou dos anjos. Evoluem de modo semelhante ao do gênero humano, com a diferença de que, em lugar de se individualizarem como humanos, vindos do reino animal, essas entidades, que anteriormente foram vistas e conhecidas como insetos, peixes, pássaros, individualizam-se como elementais, espíritos da natureza, e devas ou anjos. Quando chega a ocasião de um peixe ou um pássaro passar ao estágio seguinte de seu desenvolvimento, eles se transformam num elemental, ou num espírito da natureza, segundo seu tipo no mundo físico.

"O senhor deve-se lembrar de que quando eu o levei ao fundo do mar, em nossa primeira viagem astral, mostrei-lhe alguns dos elementais que vivem no fundo do oceano. Originalmente, eram peixes e, na viagem astral em direção à sua meta de aperfeiçoamento, transformaram-se de peixes em elementais da mesma maneira pela qual cães, gatos, cavalos, etc., transformam-se de seus tipos animais em tipos humanos não-evoluídos que conhecemos no mundo. Os pássaros, por exemplo, tornam-se espíritos da natureza — às vezes são chamados de fadas — e tanto esses elementais como esses espíritos da natureza, depois de muitas e progressivas vidas, alcançam um estágio em que se tornam o que o mundo descreve como devas ou anjos.

"Bem, há grande diferença entre essas duas evoluções, na medida em que a evolução deva não mora no mundo físico, depois que o peixe ou o pássaro progrediram para o estágio de elemental ou espírito da natureza. Eles habitam os mundos astral e mental apenas e, a não ser pelos elementais mais baixos, ou tipos de espírito da natureza muito novos e não-evoluídos, não vivem abaixo da terceira esfera do mundo astral. Por isso é que se sabe tão pouco dessa evolução entre as pessoas que vivem no mundo físico. Eles mal têm contato com esse mundo, no que se refere ao indivíduo comum, embora os seres humanos, que desenvolveram o adormecido sentido da clarividência, possam, naturalmente, ver essas criaturas, mesmo no plano físico, porque não há porta fechada para o clarividente entre os mundos astral e físico da consciência. Mas, como já disse, o homem comum não tem esse conhecimento, e habitualmente ridiculariza as histórias que circulam a respeito da existência dessas entidades.

"E apenas nos países não desenvolvidos, onde os habitantes estão mais próximos da natureza do que a média, que o "povo pequeno", como as fadas e os espíritos da natureza são chamados na Irlanda, são reconhecidos. Ali, embora a maioria das pessoas nunca os tenha visto, os *leprechaunes*, os gnomos, os elfos, têm sua existência reconhecida. Até os dias de hoje, muitos lavradores recusam cultivar determinados pedaços de terra, que segundo o folclore são propriedade das fadas. Muitas são as histórias contadas, dizendo que proprietários modernos, e materialistas, dessas terras, escarnecendo das velhas sagas, tachando-as de asneiras e superstições, sofreram desgraças que os habitantes do local atribuíram ao fato de terem insultado o "pequeno povo". Não me proponho comentar se essas histórias de "má sorte" são ou não fundamentadas em fatos, porque, francamente, seria impossível dar uma opinião geral sobre esse assunto. Cada caso teria de ser investigado separadamente, a fim de que se apurasse a verdade, e acontece que fazer essa investigação não faz parte da minha tarefa presente. Digo-lhe, contudo, que no plano astral essas entidades não só existem, como tomam parte importante na vida do mundo astral e, depois da morte, quando alcançamos a terceira e as esferas ainda mais altas, não só as veremos pessoalmente, como teremos contato com elas, conforme descreverei.

"Quando um homem passa para a quarta esfera, talvez se impressione, de início, com a completa ausência do que pode ser descrito como atividade. Encontrará ali pessoas, naturalmente e, se já não as tiver conhecido na passada vida física, será apresentado a elas da mesma maneira pela qual é apresentado no mundo físico. Será bem recebido, como pessoa de interesses similares aos deles, pelos habitantes permanentes da esfera, pois estes sabem que o recém-chegado não poderia ter vindo à quarta esfera a não ser que tivesse o desejo e as qualificações necessárias que o tornam apto a agir ali. Em lugar da atividade física, ele encontrará a atividade mental, porque o interesse principal dos habitantes, ali, é discutir os problemas evolutivos internacionais — discussões relacionadas com o desenvolvimento da ciência, discussões relacionadas com a evolução paralela do reino deva e suas grandes diferenças em relação a nossa evolução e assim por diante — ou a formulação de teorias, que eles se empenham em testar. Tudo isso pode parecer muito monótono para o senhor, mas para o indivíduo de tipo intelectual não é monótono em absoluto. Como é natural, as pessoas que ali se encontram variam intelectualmente, e os que têm intelecto mais apurado — e são, realmente, almas mais velhas e mais experientes — lideram as discussões. Em muitos casos, membros do reino deva se reúnem à deliberação, embora a intercomunicação, nesses casos, não seja feita por meio de palavras, pois, embora não vivendo ainda no mundo mental — onde tudo é governado pelo pensamento — vemos que nos níveis mais altos do mundo astral a conversação pode ser realizada sem o uso real das palavras. A vida é tão menos material ali que as possibilidades do intercâmbio de pensamentos vêm bastante naturalmente e nem se pensa em considerar tais coisas como maravilhosas ou extraordinárias.

"O senhor deve ter em mente que os devas que habitam a quarta esfera do mundo astral também são seres evoluídos — tão diferentes do tipo inferior de elementais e espíritos da natureza quanto um homem evoluído é diferente do tipo inferior de *coolies* que encontramos no mundo físico. A visão mental de um deva é muito diferente da visão mental do humano. O deva está mais interessado nos processos da Natureza. Suas vidas estão de tal forma associadas às características naturais — oceanos, montanhas, árvores, flores, chuva e coisas assim — que eles não parecem ser nem mesmo ligeiramente afetados pelos problemas da vida que interessam à humanidade, a não ser em casos especiais, quando sua assistência é desejável. Embora o crescimento e o declínio das nações não lhes diga respeito, o progresso da vida das plantas e o trabalho científico de pesquisa, pelo qual a Natureza fornece ao homem o necessário para sua vida física, interessa-os grandemente. Há devas evoluídos, a cujo cargo ficam os diferentes tipos de árvores, arbustos ou flores. Sob tais controladores, trabalham milhares de assistentes, todos eles parecendo ter deveres especiais. Onde um número excessivo de árvores foi cortado pelas invasões da chamada civilização, a evolução deva empenha-se em produzir novas árvores, em substituição das destruídas. Os experimentos da ciência moderna, com seus esforços para produzir chuva artificial, são assuntos de grande interesse para o reino deva e, à sua própria maneira, esforçam-se para influenciar o homem em suas atividades de pesquisa, levando-o pelo caminho correto.

"O reino deva expressa-se através da cor, e quem quer que esteja interessado em jardinagem paisagística verá os resultados maravilhosos obtidos pelos devas na terceira e quarta esferas do mundo astral. Da mesma maneira pela qual um jardineiro científico, no mundo físico, se empenha na produção de flores de cores diversas, através de criteriosos enxertos e polinizações, os experimentos dos devas também são feitos assim, e seu conhecimento é tão maior, pelo fato de estarem mais próximos da Natureza do que sua réplica humana, que os resultados produzidos são muito mais belos. É praticamente impossível descrever com palavras a beleza das flores produzidas pelo reino deva, porque há muitas centenas de cores, quando temos apenas dezenas delas, e nem temos nomes para essas pormenorizadas variações do que chamamos vermelhos, azuis e roxos.

"Os devas também parecem expressar-se em sons, com a intenção de influenciar as atividades da vida. Falamos, com freqüência, em conseguir uma "atmosfera apropriada", e o que queremos com isso, habitualmente, é reunir pessoas em harmoniosa disposição de espírito. Os devas expressam-se como evolução de uma forma muito mais ampla, e o resultado é o que chamamos de música dos devas. Grande número de devas reúne-se nos bosques e pequenos vales, usando misteriosos instrumentos de madeira que produzem os mais belos sons, sempre em perfeita harmonia. Suas vozes parecem alcançar além, muito além da voz humana, porém são muito suaves. Não usam palavras, tais como nós as compreendemos. Cantam, na maioria das vezes, em imensos coros, mas também há solistas, que de vez em quando cantam, ficando o coro principal em silêncio enquanto essa passagem é entoada. Os solistas instalam-se, em geral, em árvores altas, a alguma distância do coro principal, e o resultado, para os nossos ouvidos, é simplesmente espantoso.

É de todo impossível fazer uma descrição correta desses "concertos" para alguém que não os tenha ouvido, mas, indubitavelmente, eles produzem uma atmosfera que, segundo dizem os devas, afeta, em seu todo, a raça humana. Talvez seja essa a maneira de expressar paz e boa vontade para todos os homens, porque, certamente, eles nunca poderiam compreender as diferenças de opinião, que, no mundo, levam a coisas tais como as modernas guerras.

"O deva não tem propriedades, tal como nós as entendemos, nem precisa tê-las. Desde seus primeiros dias, como espírito da natureza, ele não teve necessidade de ganhar dinheiro para se manter, e pode, assim, ser considerado talvez como mais feliz do que seu reflexo humano.

"Embora esses devas pareçam rir ou divertir-se, da forma pela qual compreendemos tais coisas, estão sempre muitíssimo dispostos e amistosos quando se trata de auxiliar o homem. De certo modo, não parecem estar interessados nos negócios humanos; contudo, quando há casos especiais, quando terremotos e erupções vulcânicas se fazem sentir, eles parecem ter seu trabalho próprio a fazer, porque tudo quanto se relaciona com a Natureza, a terra, o mar, a flora ou a fauna, é o seu mundo. Terremotos e erupções vulcânicas são fenômenos naturais que afetam parte da superfície da Terra. Quando essas tragédias acontecem, grande número de devas são enviados para ajudar onde puderem. Não posso dizer-lhe, exatamente, o que eles fazem, mas têm, é certo, uma parte a representar no esquema das coisas, e um dia, espero, saberemos mais do que sabemos hoje sobre o trabalho deles.

"Eles têm, igualmente, uma parte a representar no auxílio às emoções humanas. Conforme eu disse, a doença do corpo é inteiramente desconhecida sob as condições astrais, mas os abalos emocionais, que tornam as pessoas extremamente deprimidas, ocorrem porque o mundo astral é o mundo da emoção e o corpo astral é o nosso veículo da consciência emocional. Em tais casos, os devas parecem tratar das pessoas deprimidas, devolvendo-lhes a saúde emocional. Consolam as pessoas, levando-as a conhecer-lhes a música divina, cujo efeito sobre quem não se sente muito feliz é realmente marcante. Não é com muita freqüência que se vê alguém realmente infeliz no mundo astral, porque as condições lá existentes tornam isso muito difícil; mas há casos em que as pessoas se sentem perturbadas, e o povo deva trabalha, então, como enfermeiro e médico, e de maneira bastante eficaz.

"Dei-lhe matéria suficiente para pensar, antes de levá-lo à sua segunda viagem astral, portanto, não o visitarei amanhã, mas voltarei dentro de três dias. Vou deixar-lhe outro comprimido. Tome-o, como fez antes, quando for deitar-se, amanhã à noite — e certamente estará adormecido às 10 horas. Virei ter com o senhor no momento em que adormecer. Não coma carne nem beba álcool de agora até então e, quando acordar pela manhã, depois de amanhã, escreva imediatamente tudo quanto recordar. Eu o ajudarei a se lembrar, conforme fiz antes. Hoje, transcreva as notas referentes a esta conversa. Amanhã, estude todas as suas notas até o fim e à noite viajaremos juntos em nossos corpos astrais. Espere-me às 11 horas do dia seguinte, quando, penso, terá um registro completo de suas experiências à minha espera. Deixo-o, agora."

Que manhã! O tempo estava excessivamente quente e úmido, e meu amigo hindu falara mais tempo do que de costume, embora o que disse tivesse sido mais interessante ainda do que quanto expusera nos dias anteriores. Está abrindo uma nova visão da vida no mundo que se segue a este, visão que, se verdadeira, torna o contato com aquele mundo ainda mais interessante do que antes. Não só estou excitado pela expectativa de uma nova viagem astral, mas, se essa viagem se tornar tão sensacional como a que fiz na semana passada, será então maravilhosa. Não me recordo de ter visto Charles desde aquela noite memorável e, seja como for, não me senti preocupado por isso, porque agora *sei* que ele está bem. Sua ausência física já não me aflige, e não me sinto triste agora. Sinto que a qualquer momento *posso* me encontrar com ele, se houver grande necessidade, e há, ainda, a sensação, que chega a ser certeza, de que ele *não* se afastou de nós, de que ainda continua na terra dos vivos. O que isso significa para mim é difícil de descrever em simples palavras, mas já estou começando a desejar uma conversação com pessoas que estejam tristes pela mesma razão que me entristeceu, para poder confortá-las e expor algo desse esquema que parece governar o Universo. Talvez seja essa uma das razões pelas quais fui auxiliado, pois o anseio de passar essa informação a outros, de poder dar-lhes provas, tal como o meu amigo hindu pôde fazer comigo, é muito forte dentro de mim. Talvez um dia eu possa levar à prática esse anseio.

Na noite seguinte, fui ao cinema; o filme era de aventuras e manteve meu interesse por um par de horas. Deitei-me imediatamente assim que voltei para casa, e tentei o truque de imaginar um espelho sobre a minha cama antes de me preparar para dormir. Dessa vez tive algum resultado, pois no momento de perder a consciência lembro-me de me ter encontrado de pé no meu quarto e ali, com toda certeza, estava meu corpo deitado pacificamente na cama. Lembro-me, distintamente, que comecei a abrir a porta do meu quarto e de que, no exato momento em que punha a mão na maçaneta, vi que estava, por assim dizer, a meio caminho da porta, e recordei-me, naquele instante, que portas não eram obstáculo para o corpo astral. E fui adiante. Deslizei pelas escadas abaixo, uns trinta centímetros acima dos degraus, e me recordo disso porque abaixei a cabeça a fim de não colidir com o ressalto, no ponto em que a escada faz a curva. É evidente que não haveria necessidade de abaixar a cabeça, mas isso, de minha parte, foi instintivo. Atravessei a porta da rua e flutuei suavemente na direção do porto e do mar. A partir daí, só me recordo de estar acordando, esta manhã, à hora habitual. Fiquei deitado, inteiramente imóvel, pesquisando profundamente em minha consciência interior, porém nada mais do que alguns poucos pormenores quanto ao início da minha perambulação da noite me vieram à lembrança. Não importa. Mesmo isso é alguma coisa, e estou bastante entusiasmado por descobrir que, sem auxílio, pude reter a continuidade da consciência no momento de adormecer, e até recordar o primeiro estágio da minha viagem astral.

São nove horas da noite. Terminei meu ligeiro jantar. Vou tomar o comprimido e me deitar. Que experiências terei desta vez?

Capítulo 7

~~~

*D*esta vez foi como se eu não tivesse absolutamente adormecido! Quando compreendi, esta manhã, que estava de novo *dentro* do meu corpo, a lembrança de tudo quanto ocorreu estava clara em meu cérebro — tal como se eu tivesse estado num teatro e me pedissem para escrever todos os pormenores da peça. Assim, pude apanhar o bloco e o lápis e recordar, fielmente, tudo quanto acontecera.

Depois de tomar o comprimido, olhei para meu pequeno relógio francês, cujos ponteiros apontavam para as 9 horas e 42 minutos. Não tentei adormecer, mas depois de alguns minutos descobri que tinha deslizado para fora do meu corpo, e que estava de pé ao lado da cama, com a minha forma adormecida deitada sobre ela. Olhei outra vez, e faltavam cinco minutos para as dez. Não havia ninguém ali, e andei em torno do meu quarto, maravilhado com a simplicidade do que, por ocasião da minha primeira viagem astral, me havia impressionado como extremamente complicado. Não tentei deixar meu quarto, pois lembrava-me, muito claramente, que meu amigo hindu dissera que ali estaria às 10 horas. Esperei, portanto, a sua chegada, perfeitamente seguro de que ele não me faltaria. Quando voltei a olhar para o relógio, eram 10 horas e ainda nada acontecera. Cinco minutos se passaram e eu fiquei a pensar se tudo aquilo não iria transformar-se numa decepção. Fui ficando cada vez mais preocupado, conforme os minutos se amontoavam, mas recusei-me a fazer experiências por minha conta. E quando ia de novo olhar para o relógio, ouvi a voz familiar, atrás de mim, dizendo: — Pensou que eu ia desapontá-lo?

Meu amigo contou-me que se atrasara porque estivera ajudando um amigo particular que morrera naquela manhã. Disse que aquele homem tinha medo da morte e que, embora tivesse estado doente durante muitos meses, lutara contra ela até o fim. Explicou-me que tal coisa era inteiramente inútil, pois chegara a sua ocasião e, embora tivesse conservado a vida em seu corpo por algumas semanas, através de sua extrema força de vontade, por fim a morte prevalecera. A doença de que aquele homem sofrera durante meses, enfraquecera, afinal, seu corpo físico, e de tal maneira que se tornou impossível para a matéria etérica permanecer dentro dele. Disse-me, ainda, que tinha estado a prestar auxílio a esse homem para que se libertasse do veículo etérico, que tentava manter com ele, já que era a coisa que agora mais se aproximava da vida física — a única vida que ele compreendia. Conseguir que ele fizesse o esforço de vontade necessário para desprender o duplo etérico do corpo astral, no qual se enroscara, levara mais tempo do que de costume. — Ele está bem, agora — disse meu amigo — e deixei-o com alguns ajudantes astrais, que provavelmente desejarão permanecer com ele, até que, através de experiência prática, o homem aprenda algo sobre a Lei.

Perguntei-lhe o que íamos fazer, dessa vez, e a resposta foi que seria desejável que eu primeiro tentasse passar de uma esfera mais baixa para as mais altas. Deu-se a grandes trabalhos para explicar-me que, embora as qualificassem como esferas mais altas, elas não ficavam, realmente, umas acima das outras, mas em torno de nós, sendo apenas diferentes as condições de densidade.

Sugeriu que iniciássemos nossa expedição de Londres; por isso, pusemo-nos a caminho, como tínhamos feito da outra vez, e logo descíamos para o que era terra, evidentemente. Quase que de imediato reconheci que a imensa cidade que estava abaixo de nós era Londres. Os objetos pelos quais passávamos, em nosso caminho, não eram de forma alguma claros, e eu apenas podia distinguir a terra do mar — era como se estivesse vendo um quadro movimentado da paisagem, projetado sobre uma tela com muitíssima rapidez. Não havia qualquer esforço em nosso movimento e, embora tivéssemos gasto o que parecia ser menos de um minuto, não chegamos de forma alguma ofegantes.

Como acontecera antes, pousamos em terra diante do *Hyde Park*. Disse-me o meu amigo que aquele era o melhor lugar para descer, porque, embora fôssemos para *Picadilly Circus*, a descida ali poderia facilmente assustar-me, devido ao tremendo tráfego e à possibilidade de pensar

— o que seria bastante errado — que talvez viesse a ser atropelado. Se eu assim me assustasse, meu medo seria transmitido ao meu corpo físico, em Colombo, e ele imediatamente se esforçaria por atrair de volta o seu dono. Tendo o medo causado minha precipitada volta, em meu corpo astral, à minha forma natural de consciência, eu deveria, conseqüentemente, acordar com o coração aos saltos, recordando o que descreveria como um abominável pesadelo — o que talvez nada tivesse de ver com o que realmente se passara — com a ilusão de que eu *havia sido* atropelado. E o medo causado por esse acontecimento imaginário resultaria num desordenado batimento do coração, modo pelo qual o medo geralmente reage no corpo físico. Quando tocamos a terra, vi o ambiente familiar que tantas vezes contemplara em dias passados. A tarde mostrava-se ensolarada, e havia muitas pessoas andando por ali. Crianças, com suas mães e pagens, brincavam, como de costume, e não distante eu podia ver a constante corrente do tráfego, carros, táxis, ônibus, que passavam, descendo *Park Lane* em direção de *Picadilly* e de *Hyde Park Corner*.

Sugeri que caminhássemos pela *Oxford Street* e, embora as calçadas estivessem repletas de compradores retardatários, em seu caminho para casa, e os empregados das lojas, naquele momento, estivessem deixando seus empregos, de forma alguma fomos molestados. Como antes, senti o estranho contato fluídico, perceptível a cada vez que eu me via forçado a passar através de um corpo físico, e pareceu-me muito difícil não pedir desculpas. Meu amigo, que não gostava de aglomerações, flutuava uns dois metros acima da cabeça dos passantes. Logo fiz o mesmo e fomos pousar outra vez em *Picadilly Circus*. — "Talvez o senhor goste de ver o local de sua última viagem a Londres, e observar se reconhece algumas das pessoas no salão do *Trocadero?* — indagou ele. Concordei e para lá caminhamos. Exatamente àquela hora, o vestíbulo estava se enchendo das pessoas que vinham esperar os amigos, com garçons andando de cá para lá, recebendo e atendendo pedidos. Não vi ali ninguém que eu conhecesse, e nem sinal de Charles ou de Roy Chapman. Fiquei a pensar se este último não se teria cansado da perpétua ronda de refeições e bebidas, pelas quais não tinha de pagar, mas não fiz perguntas. Meu amigo fez-me um sinal, chamando-me, e eu compreendi que ele desejava subir as escadas. Tratei de segui-lo sem perguntas, e depressa estávamos num corredor onde havia muitas portas de saída. Entramos em um daqueles aposentos, que se revelou um quarto de dormir, desocupado. Como é natural, tínhamos passado através da porta, o que dispensava o uso da chave.

— Agora — disse ele — é melhor fazermos nosso caminho. Vim para este quarto a fim de que pudéssemos estar tranqüilos, pois desejo que compreenda que é muito simples a passagem de uma esfera mais baixa para outra menos densa, exigindo, apenas, um esforço da vontade para que se torne imediatamente realizada. Quero que segure minha mão e deseje apenas fazer o que eu fizer. Não vai sentir nada, mas perceberá que a cena, a seu redor, vai-se transformando gradualmente. As paredes, que parecem fechar-nos neste quarto, serão como que derretidas; o mobiliário que nos rodeia, lentamente, irá se tornando vago e enevoado e, durante todo o tempo, o senhor deverá deixar-se levar, de forma que minha vontade possa dominar a sua. Aconteça o que acontecer, não fique nervoso porque, se entrar em pânico, acordará imediatamente em Colombo. Está pronto, agora? — Respondi afirmativamente, e não senti medo algum, apenas interesse. Segurei com firmeza a mão de meu amigo, e tentei, ao máximo, permitir que sua vontade me controlasse. E quase que imediatamente as paredes do quarto tornaram-se enevoadas e indistintas. O mesmo aconteceu com o mobiliário e, em menos tempo do que me é necessário para escrevê-lo, estávamos de pé, ao ar livre, num pequeno campo e, a distância, havia o que parecia ser uma típica aldeia inglesa. — Ouça agora — disse ele — e ouvirá muito claramente um ribombo distante. É o ruído da cidade de Londres, e pode ser ouvido apenas porque estamos somente a um subplano ou esfera afastados do que é a réplica real e astral da cidade física de Londres que o senhor conhece tão bem. Esta é a segunda esfera do mundo astral e já pode ver que é muito menos material do que a parte mais densa daquele mundo — a parte para a qual vamos imediatamente depois da morte. Viajemos um pouco, e verá o que quero dizer.

Pusemo-nos a caminho, de novo flutuando suavemente, um metro, mais ou menos, acima do solo, até chegarmos à aldeia que tínhamos visto a distância. Parecia-se muito com uma aldeia comum, pois havia lojas, dois cinemas, um excelente hotel, que parecia grande demais para o tamanho da povoação e, nos arredores, pelo menos três edifícios que eram igrejas, obviamente. Em torno da povoação, estendendo-se para longe e amplamente na distância, vi as casas mais bonitas. Algumas eram pequenas, outras maiores, mas cada uma delas se mostrava rodeada de coloridos jardins, nos quais flores de toda a espécie estavam em profusa florescência. Vi tanto homens como mulheres trabalhando nesses jardins, mas era evidente que trabalhavam por prazer e não porque eram forçados a trabalhar. Cães de diferentes raças brincavam pelos gramados, e podíamos ouvir vozes infantis ao passar. A diferença entre aquelas casas e as casas semelhantes do mundo estava na ausência de garagens. E reparei que não se viam carros pelas ruas. Meu amigo explicou-me que ali não havia necessidade de transporte, porque as pessoas podem ir de um lugar para outro através de métodos muito mais fáceis, pois que lhes basta expressar em pensamento o desejo de ir seja para onde for e, imediatamente, flutuam suavemente do ponto em que estão para o destino que desejam alcançar.

Perguntei por que havia lojas, quando o dinheiro não era necessário, e meu amigo disse-me que as pessoas que encontram sua felicidade naquele nível gostam de levar uma vida tão próxima quanto possível daquilo que sempre imaginaram como ideal, quando vivos. — Algumas gastam dinheiro — disse meu guia —, dinheiro criado pela própria imaginação, e compram alimentos, que preparam, e até comem — tudo na imaginação — porque é o que desejam. — Mas, com certeza — indaguei eu — é de todo desnecessário ter lojas, quando um pensamento seria suficiente para produzir no próprio lar de cada um o que desejassem? — Essas lojas — foi a resposta — têm sua origem nas mentes dos habitantes, e não existe nenhuma delas no mundo, bem como não existe o pessoal que nelas serve. Desde que os que aqui residem pensam numa coisa, ela se torna um fato neste mundo de ilusão. Essas lojas são, todas, invenções da imaginação, bem como as coisas ali vendidas; mas, enquanto as pessoas quiserem ter lojas junto de si, elas as terão, pois que as imaginam. — E continuou: — O mesmo se dá com as igrejas. As pessoas gostam de continuar suas práticas religiosas, embora depois da morte possam ter descoberto que muitas das afirmativas feitas por seus padres e pastores não tinham sido inteiramente corretas. Os habitantes permanentes constroem essas igrejas, ex-padres e ex-ministros da religião continuam em suas antigas vocações, atraindo seguidores para si, tal como faziam na vida que terminou. Os cinemas também são muito populares, mas, embora haja uma interminável variedade deles na primeira esfera, o mesmo não acontece na segunda esfera. Aqui, os cinemas não são a reprodução astral dos mesmos lugares que estão no mundo, mas criações, pelo pensamento, dos habitantes permanentes. Há sempre ex-produtores de filmes, ou produtores amadores, que criam novos filmes em sua imaginação, e suas formas-pensamento são produzidas na tela para todos verem. Esses espetáculos, sob vários aspectos, são melhores do que os que vemos no mundo, e os habitantes do astral vêem na primeira esfera, porque, sob condições astrais, os produtores podem dar estupendas asas à imaginação. Não há, aqui, o custo da produção a considerar. Os teatros também são populares neste nível. Os que se interessam pelo teatro amador, bem como ex-atores e ex-atrizes, produzem uma peça depois da outra, para benefício de amigos e conhecidos, e podem fazer isso muito facilmente, pois não há dificuldades em obter os costumes adequados, os cenários e orquestra, pois essas coisas são criadas pela imaginação e nada custam.

Há, ainda, algumas pessoas que desejam morar em hotéis. Provavelmente, são pessoas que sempre acharam maravilhoso morar em um dos grandes hotéis, dispendiosos demais para elas, quando estavam no mundo. Agora podem fazer isso. Por isso é que aquele hotel parece grande demais em relação ao tamanho da aldeia. Esse hotel não poderia existir numa aldeia comum do mundo, mas aqui não há necessidade de lucros. As pessoas moram no hotel e têm todo o serviço e a atenção que desejam, apenas na imaginação. Assim são felizes — por algum tempo. — Mas, isso deve cansar, depois de certo prazo, não é verdade? — indaguei.

Sim, cansa — disse ele —, e então as pessoas procuram algo mais satisfatório na vida, tal como o senhor verá, porque quando aquele seu desejo particular já não existe elas podem mudar para outra coisa, e obter o que desejarem. Muitas pessoas são perfeitamente felizes nessa existência bucólica, em particular aquelas que tiveram vida bastante dura na existência terrena. Essas pessoas, com freqüência, passam noventa por cento da existência astral sob essas condições, com amigos, animais de estimação, belas casas e jardins que as satisfazem, e só se transferem para o mundo mental quando são mais ou menos forçadas a isso pelos anseios de seus egos, que desejam progredir, adiantando-se pelo Caminho da Evolução.

Meu guia disse-me então que lhe desse novamente a mão e o secundasse no desejo de passar daquela segunda esfera para a terceira, e eu fiz o que ele pedia. Imediatamente, a cena que nos rodeava começou a obscurecer-se, e aos poucos foi dando lugar a um ambiente novo. Nossa vizinhança era agora bastante diferente, porque estávamos de pé, ao ar livre, rodeados pelo que parecia ser dezenas de pequenos bosques ou capões. Se puderem imaginar um parque gigantesco, com árvores por toda a parte, isso irá ajudar a visualização da paisagem. Não há nada igual àquilo em nosso mundo, mas eu penso que, visto de cima, ter-se-ia a impressão de se estar sobre uma gigantesca floresta de Sherwood. Em muitos casos os espaços abertos tinham vários acres de extensão, variando de uma clareira com talvez uns 4.000 metros, para espaços abertos cobrindo o que se estimaria um campo de cinqüenta acres. Todas aquelas clareiras eram muito pitorescas, pois por toda parte havia arbustos floridos, e viam-se narcisos e miosótis florescendo em profusão pela relva verde. De início, não vimos casas; porém, mais tarde, vi casas isoladas e muito grandes, parecendo-se também às imensas mansões ou casas senhoriais encontradas na Inglaterra, e que nos velhos dias eram habitadas pelos aristocratas ou senhores rurais da região em que se erguiam.

Deslizamos por ali e vi que muitos daqueles grupos de espaços abertos eram congregados. Aproximamo-nos de um desses grupos e vimos que havia ali talvez umas cem pessoas observando um artista que estava pintando sobre uma tela que media cerca de dezesseis metros por nove. Aquelas pessoas, era evidente, estavam fascinadas pelo que observavam, pois nenhuma delas tomou conhecimento da nossa presença quando nos reunimos ao grupo. O artista não estava usando pincéis, mas tinha na mão uma longa vara, semelhante a uma vara de pescar e, conforme apontava com ela para as diferentes partes da tela, surgia uma pintura, primeiro em tosco esboço, depois em pormenor. À proporção que pintava, o artista falava, de vez em quando, explicando o que estava a criar. Tornava muito clara a impressão que, desejava, os outros, os que estavam observando, deveriam ter. Em determinada ocasião, apagou parte da pintura — não posso usar outra palavra para o fato, pois ele apontou a vara e parte da pintura desapareceu — e explicou que sua forma-pensamento anterior não fora suficientemente pormenorizada para produzir o efeito que desejara. Pareceu concentrar-se novamente, a vara moveu-se para cima, para baixo e em diagonal. Novo pormenor que se mesclou com o resto da pintura tomou forma imediatamente, e a segunda tentativa reforçou, de pronto, o trecho que ele fizera um minuto antes, mais ou menos. Eu não podia entender muito do que o pintor estava falando, pois a explicação revestia-se de expressões técnicas, compreensíveis apenas para seus irmãos de arte. Meu guia disse-me que um artista pinta porque o desejo que o levara a fazer tal coisa no mundo continua depois da morte. Naquele nível, não precisa de tintas nem de pincéis, já que tem capacidade para se expressar em cores apenas pela projeção do pensamento. A fluídica matéria astral responde à forma-pensamento, e a pintura aparece, como que através de magia, à proporção que o pensamento se desenvolve. Embora a tela fosse enorme, em comparação com as que temos em nossas galerias do mundo, de forma alguma era embaraçoso criar um quadro daquele tamanho no mundo astral, quando, apenas pela concentração num ponto particular na tela, a pintura que estava na mente do artista ganhava vida. Não posso descrever as gloriosas cores com as quais esse quadro era composto, porque não temos palavras para descrever as muitas nuanças usadas. Se eu mencionar que vi pelo menos trinta diferentes tonalidades de uma cor, e que, se fosse descrever qualquer delas teria de usar a palavra "vermelho", compreenderão como é impossível dizer alguma coisa que não seja senão uma descrição muito incompleta do que vi de modo bastante claro. Meu guia explicou-me que muitos dos grandes artistas do passado, que ainda estão no nível astral, vivem naquela esfera e passam a vida criando, sob a forma de pintura, as idéias que têm em mente. Ao mesmo tempo, esses artistas ensinavam a quem quer que gostasse de ouvi-los e observá-los os métodos adotados na produção dos quadros. Disse-me, ainda, que um daqueles imensos quadros era feito em poucas horas, e que, amiúde, o artista, tendo terminado um deles, iniciava imediatamente a criação de outro. — Mas o primeiro desbota, assim que o artista desvia dele a sua atenção? — indaguei. — Não — respondeu meu amigo —, o quadro permanece tal como o vê agora, enquanto alguém olhar para ele. Desde que um quadro é criado na matéria astral, permanece estático para qualquer pessoa vê-lo, enquanto um só pensamento se concentrar ali. Quando todos os pensamentos lhe forem retirados, ele se desintegra aos poucos na vasta atmosfera astral, e fica perdido para sempre, ou até que um novo pensamento venha a recriá-lo como nova pintura.

Fiquei a observar até ver o quadro terminado, fascinado pelo talento do criador e pelos resultados obtidos por ele. Quando o artista se afastou, e estava conversando com alguns dos presentes que tinham estado sentados a seu redor, observando-o, vi que vários daqueles observadores, estudantes de arte, era óbvio, começaram a criar algo semelhante por si mesmos, tomando o quadro-mestre (se assim posso chamá-lo) como modelo. Fiquei ainda a observar, e imediatamente vi a tremenda diferença entre seus esforços e os do grande pintor. Meu amigo explicou-me que a razão de tão grande diferença era a falta de conhecimento do estudante, comparada com o conhecimento do mestre. Os estudantes não tinham capacidade para expressar, em pensamento claro, o que desejavam que aparecesse na tela, e os resultados eram, então, amadorísticos, decididamente. Ficou evidenciado que a tela só mostraria o que eles pudessem expressar em pensamento, e eu vi, claramente, por que aquilo se passava assim. Mesmo nas galerias de arte do nosso mundo, se contemplamos um quadro, acontece, muitas vezes, podermos sentir o que o artista empenhou-se em expressar. Tal sensação é mil vezes reforçada no nível astral e, olhando para a grande pintura, eu *sabia*, sem qualquer sombra de dúvida, o que o artista quisera expressar em cor e forma.

Saímos dali e vimos muitos grupos de pessoas ao redor de indivíduos que faziam trabalho semelhante, mas como a região era ligeiramente ondulada, seria praticamente impossível ver dois deles ao mesmo tempo. Em um dos vales, corria um arroio de águas lentas, e, sentadas em sua margem, havia um grupo de pessoas que pareciam nada fazer. Ao nos aproximarmos, entretanto, percebi que aquele grupo não estava observando um artista criador, mas produzindo sons que se assemelhavam a uma bela sinfonia, tocada por uma das orquestras famosas do nosso mundo. Nada ouvi enquanto não me aproximei do grupo, e só então senti que o ar estava repleto da mais bela música que jamais tinha ouvido. No centro do grupo havia um homem cujo rosto me pareceu familiar, embora eu soubesse que jamais o conhecera na vida real. Perguntei ao meu guia quem era ele, e o hindu murmurou: — É o célebre Johann Strauss. — Naquele momento ele estava demonstrando como o som da água que corria podia ser expresso em música. Lembrei-me de que aquele Strauss havia composto o "Danúbio Azul", e aquela música parecia ter muito da cadência existente na tão divulgada mas bonita valsa. Eu diria que era até mais bonita.

Enquanto ali estava, fascinado, eu vi, na margem oposta do arroio, o que me pareciam figuras etéreas, que, de certa forma, eram parte do poema sinfônico que eu ouvia. Meu amigo disse que olhasse para aquelas novas figuras: — São membros da evolução paralela da qual lhe falei, o reino deva — disse ele. — Mas o que estão fazendo? — perguntei. — E por que parecem diferentes do grupo que está do nosso lado do arroio? — Explicou-me ele, então, que pareciam diferentes por serem realmente diferentes. Eram mais etéreos porque, sendo parte de uma evolução diferente, seus corpos são diferentes e, embora feitos de matéria astral, são, ao mesmo tempo, menos concretos do que nossos corpos astrais. Disse-me o amigo que aqueles que ali estavam eram alguns musicistas devas, seres que vivem e se expressam através do som, e que estavam ajudando o compositor que víamos sentado do nosso lado do arroio a expressar-se tal como desejava. Exatamente como ajudavam não sei dizer, porque nunca falavam, mas pareciam concentrar-se no criador da música e, através de seus pensamentos, capacitá-lo a expressar, cada vez mais detalhadamente, aquilo que se esforçava para criar em sons. Havia volume no som, e cada nota era ouvida claramente, mas percebi que, quando nos afastamos a uma distância de talvez cinqüenta metros, nada mais ouvimos.

É difícil descrever esses membros do reino deva em palavras inteligíveis. Suas formas são belas mas, quando se movem, parece que se evaporam. Quando ficam novamente imóveis, voltam a tomar forma definida. Penso que a melhor maneira de descrevê-los seria dizer que seus corpos pareciam feitos de névoa, que só se reunia de forma concreta quando os indivíduos permaneciam mais ou menos imóveis. Passamos para a margem oposta, mas, ao nos aproximarmos, aquelas criaturas pareceram resvalar para longe, tal como animais tímidos. Não nos temiam, mas não nos convidavam a qualquer contato, e senti que, se nos aproximássemos delas com a intenção de com elas nos comunicar (e como isso seria possível eu então não tinha idéia), as criaturas se desvaneceriam no ar. Meu amigo hindu disse que essa impressão era, de certa forma, razoavelmente exata.

Com meu guia fazendo-me sinal para que o seguisse, saímos dali. Depressa vi que ele se dirigia para uma das grandes casas que me tinham parecido imensos solares. Ao nos aproximarmos mais, vi que a arquitetura era realmente muito bela, com profundas janelas francesas abrindo para o campo circundante. Amplos gramados estendiam-se aos poucos em declive, para além da casa, que se situava no alto de uma elevação. Flores e arbustos floridos desabrochavam por toda a parte, e a distância, talvez uns quinze quilômetros além, o mar poderia ser vislumbrado, se se observasse com atenção. O lugar era delicioso, e eu fiquei a pensar em quem viveria ali, e com que propósito. Pousamos no solo, sobre o terraço, e entramos pelas amplas portas que levavam a um espaçoso vestíbulo mobiliado como eu esperava que estivesse, mas com uma notável diferença: naquele vestíbulo havia, realmente, pequenas árvores e plantas, principalmente roseiras, desabrochando no interior da casa com as raízes enterradas através do piso. Não havia artifício naquilo. Na verdade sentia-se que se estava num jardim interior, e o resultado era realmente muito agradável a nossos olhos.

    Não parecia haver ninguém ali, nem se ouvia o ruído de possíveis ocupantes, mas meu guia imediatamente levou-me para uma das portas do vestíbulo e, ao abri-la, um som de música veio ter a meus ouvidos. Havia apenas uma pessoa no aposento. Ela estava tocando num grande piano, de forma a revelar que não se tratava de pequeno expoente da arte. Não tomou conhecimento de nós mas continuou tocando, e ficamos a ouvir, fascinados pelo domínio do musicista sobre seu instrumento. Havia ali algumas poltronas convidativas, nas quais nos sentamos, e, talvez durante um quarto de hora, o pianista continuou a tocar. Ouvindo, pareceu-me reconhecer naquela música uma semelhança com os Prelúdios de Chopin e, num murmúrio, perguntei ao meu amigo quem era o musicista. — Não o reconhece? — perguntou ele. — É o famoso Chopin, que ainda expressa sua grande alma por meio do som, exatamente da mesma maneira que fazia quando estava vivo. Repare, entretanto, que aqui ele não parece frágil. Entretanto, quando estava no mundo, sofreu muito, e durante grande parte de sua existência não foi um homem saudável. Agora tudo isso mudou: aqui a fadiga não o pode perturbar, e produz cada vez mais uma bela música que, de vez em quando, ele permite que outros musicistas ouçam. Neste nível realizam-se concertos durante todo o tempo, assim não há qualquer dificuldade para ir a esses espetáculos, se a pessoa estiver realmente interessada e for capaz de apreciar o encanto da natureza daquilo que o musicista se empenha em expressar em som. — Olhei para o pianista mais atentamente, e verifiquei que não podia achar qualquer semelhança com a figura do grande musicista, cujos retratos tinha visto, mas a minha lembrança de tais retratos era vaga, e talvez não os tivesse estudado muito cuidadosamente. Depois de algum tempo, ele parou de tocar e voltou-se para nós, sem se perturbar ou contrariar com a nossa presença. Supôs que fôssemos amantes da música, e explicou-nos o que tinha tentado expressar. Embora ele usasse alguns termos técnicos, fiquei fascinado pelo que ouvi. Chopin enfatizou que, em sua opinião, cada som era a descrição de uma cor ou de um movimento. Seqüências e fusões de acordes eram pinturas sonoras de belos jardins, e quando as *cadenzas* aparecem, deveríamos "sentir", imediatamente, a presença de um arroio de águas lentas, talvez entre dois jardins lindamente planejados, e tentar ver o quadro que o musicista se empenhava em expressar. Eu, que me considero musical, compreendi imediatamente quão pouco sabia da verdadeira arte, e resolvi que, depois de minha morte, eu haveria de ser uma daquelas pessoas que tinham se dedicado ao estudo da música em grande estilo. É uma pena que, no mundo, esses mestres da música, na maioria dos casos, estejam inteiramente fora do alcance e da oportunidade do homem médio que precisa ganhar a vida.

Saímos como tínhamos entrado, sem qualquer despedida oficial e, quando nos afastávamos, Chopin voltou-se para o piano e recomeçou a tocar. Ao fecharmos a porta, estávamos novamente no vestíbulo, e nenhum som atravessava a porta. Havia apenas o canto dos pássaros, muitos dos quais de diversas cores, que adejavam por ali, não só nos jardins, mas dentro da própria casa. Meu amigo disse-me que a enorme casa era uma das grandes escolas de arte existentes naquele nível do mundo astral, e que centenas dos habitantes permanentes de tal mundo passavam a maior parte do tempo aprendendo alguma coisa da arte na qual estivessem particularmente interessados. Disse-me que o ensino estava sempre disponível, porque todos os grandes mestres estão dispostos a ensinar os que estão ansiosos por aprender, e que a oportunidade existe a todo o tempo, já que não há noite, nem dia, nem fadiga a entrar nos cálculos das pessoas.

— Mas, com certeza — indaguei —, as pessoas não estão estudando e praticando dia e noite, semana após semana, mês após mês, ano após ano, dessa maneira, estão? — Sim, é o que fazem e, como eu lhe disse, não se cansam nem as coisas pesam quando estão interessadas e fascinadas pelo que fazem. Se analisar suas reações no plano físico, verá que o tempo nunca se arrasta quando o senhor está fazendo o *que deseja fazer*. Habitualmente, surge a fadiga, e o senhor tem de parar, embora esteja se deliciando com o que está fazendo. Mas aqui isso não acontece, já que ninguém se cansa, e *não há* o tempo, tal como entendemos essa palavra. Não é preciso ir para casa a fim de jantar, não existem esposas à espera, o senhor não tem deveres ou responsabilidade de espécie alguma. Essas limitações não existem no nível astral, de forma que um homem ou uma mulher continuam com o trabalho ou o lazer que desejem, sem qualquer preocupação quanto ao período de tempo que devem gastar nessa forma particular de estudo ou de prazer.

— Meu guia disse-me, então, que tinha um pequeno trabalho a realizar e, delicadamente, pediu-me licença para me deixar durante certo tempo. — Vá para onde quiser — disse ele —, ninguém interferirá com o senhor e sugiro que ande aí pelas diferentes salas, pois posso assegurar-lhe que não terá qualquer recepção hostil. Este edifício é muito semelhante aos que existem aqui, e valerá a pena ver mais sobre o que se faz em tais lugares. Voltarei, quando tiver terminado meu trabalho particular, e penso que não sentirá tédio enquanto eu estiver afastado.

Pelo lado de fora, eu vira que a casa tinha pelo menos três andares. Resolvi, portanto, explorar o local, como me fora sugerido. Para começar, fui ter aos aposentos mais baixos. Em um deles encontrei um escultor com seus alunos, explicando como determinada curva poderia ser obtida. Fiquei ali por um momento, ouvindo o que ele dizia, e alguns de seus discípulos, sem nada falar, sorriam para mim, enquanto eu ouvia, e era evidente que não faziam qualquer objeção à minha presença. Em outro aposento, um quarteto tocava. Ainda em outro, um violinista repetia e tornava a repetir determinada passagem, com uma partitura diante de si. Aquilo se parecia muito com uma academia, tal como eu as vira no mundo, mas com a grande diferença de não haver ali confusão nem pressa, e estarem representadas todas as formas de arte. Também ficava bem claro que as pessoas ali presentes, embora estudando com muita seriedade, eram evidentemente felizes, e de forma alguma tensas, tal como eu vira os estudantes se mostrarem, da última vez em que os observei na Real Academia de Música da Inglaterra.

Mais tarde subi as escadas e tive uma agradável surpresa. Ao abrir a porta (e notei, com interesse, que ali abríamos de fato as portas e não passávamos através delas, como se fazia com as portas do mundo físico) e entrar num daqueles aposentos, vi uma jovem sentada num sofá, junto de um grande piano. Tinha um trecho de música na mão e estudava-o. Quando entrei, ela ergueu os olhos e eu imediatamente a reconheci, pois era Daphne Hillier, que eu vira pela última vez na Inglaterra, em 1935, quando a encontrei num clube de golfe. Meu adversário naquele dia conhecia-a intimamente; feitas as apresentações, começamos a conversar. Eu a vi muitas vezes durante minha licença, e chegamos a nos conhecer muitíssimo bem. Várias vezes pensei em pedir-lhe que se casasse comigo, pois pensava que a amava, mas, fosse como fosse, não fiz tal coisa. Uma das razões para isso era a falta de dinheiro suficiente para me casar. Também desejava alcançar o ponto mais alto da minha profissão antes de aceitar a responsabilidade de uma esposa. Voltei para o Ceilão, e durante dois anos nós nos correspondemos regularmente. Depois, tudo terminou, pois Daphne teve uma pneumonia e, para meu grande desgosto, a mãe dela me escreveu para comunicar sua morte. Escrevi uma carta de condolências e, pouco a pouco, fui perdendo contato com a família. E agora ali estava Daphne, diante de mim, parecendo muitíssimo viva e com o mesmo aspecto de quando eu a vira pela última vez, porém com expressão mais feliz. Na realidade, todo o seu rosto irradiava alegria e contentamento, e alguma daquela alegria, pensei com certa vaidade, vinha do fato de me ter visto.

— Daphne, minha querida, é realmente você?

— Sim, sou eu — disse ela. — Mas o que é que *você* está fazendo aqui? Não deixou ainda o velho mundo, eu sei. Portanto, o que o trouxe aqui?

Tentei explicar-lhe algo do que acontecera e por que eu ali estava. Daphne disse que se surpreendera ao ver-me porque, embora a maioria das pessoas evoluídas andassem pelo plano astral durante o tempo em que seus corpos estão adormecidos e recuperando-se para o dia seguinte, não é comum que pessoas vivas visitem a terceira esfera do mundo astral. Na maioria dos casos, não sabem como chegar até lá, e poucas são as que reconhecem a existência dos diferentes níveis. — Mas, querido — disse ela — agora você está aqui e poderá voltar. Assim poderemos nos ver muito para o futuro, e há muita coisa que eu lhe posso mostrar. Embora, enquanto vivi, não tivesse sido pedida em casamento por você, sei que você me amava, e eu também o amo.

Compreendi, então, que não me parecera absolutamente estranho o fato de ela se ter dirigido a mim chamando-me de querido, pois com muita freqüência nos tínhamos tratado assim, nos velhos tempos. Embora muitos anos se houvessem passado, tudo voltou, num relance, e eu tornei a sentir a mesma atração por ela. — Isso é maravilhoso — disse eu — e não será por culpa minha, com certeza, que deixarei de vê-la muitas vezes no futuro. Talvez você possa me ajudar nisso, pois não sei se posso vir até aqui por meus próprios meios, embora, desta vez tendo um guia para ajudar, isso me parecesse tão fácil. Contei-lhe a respeito de meus esforços nos dias passados, e como, além da minha primeira viagem astral, eu ainda não tinha conseguido realizar nada, apesar de ter tentado fortemente. — Quero recordar, depois, o que fizermos e dissermos, mas não sei se o conseguirei.

Quando eu estava dizendo isso, meu amigo hindu entrou no aposento. — Com que então vocês se encontraram — disse ele. — Pensei que isso iria acontecer, se o deixasse a sós por bastante tempo. Foi bom que encontrasse Daphne, já que ela pode ser de grande auxílio para o senhor e, através do amor que mutuamente se dedicam, muitas coisas parecem agora possíveis, quando antes davam a impressão de serem muito difíceis. Uma das coisas é ter o senhor um contato definido neste nível, no qual se pode concentrar, assim que saia de seu corpo, no momento em que adormecer. O fato de pensar em Daphne fará com que ela saiba disso imediatamente, pois o pensamento é uma coisa poderosa, e o pensamento concentrado não é limitado pelos diferentes níveis da matéria. Assim, Daphne — se ela permite que eu a trate por esse nome — saberá, bastante claramente, quando seus pensamentos se concentram nela, da mesma maneira pela qual as pessoas sabem que o senhor deseja falar com elas, quando as chama ao telefone. Não é fácil para Daphne ir ao seu encontro, quando o senhor sai de seu corpo e está na esfera mais baixa deste mundo, mas o seu contato pode-se realizar na passagem daquela primeira esfera para a terceira esfera, onde estamos agora, exatamente pela mesma forma pela qual o fato de segurar minha mão atuou como contato para o senhor no momento de passar da esfera mais baixa para a segunda, e dessa para a terceira esfera. Verá então que, exercitando a vontade, além de ter contato com alguém que tenha prática, a dificuldade desaparece.

O hindu continuou: — O senhor não sabe ainda muito sobre a lei do carma, a lei que, em grande extensão, faz os seus contatos e lhe dá oportunidades que são tão importantes para a sua evolução. Essa lei do carma, ou lei de causa e efeito, conforme é habitualmente chamada nos países cristãos, refere-se a cada palavra, pensamento ou ação sua no nível físico. O simples fato de, naquele nível, o senhor ter tido afeição por Daphne, afeição que ela retribuiu, embora não tenha terminado naquela realização a que o mundo chama casamento, significa que os dois têm um vínculo mútuo, que mais cedo ou mais tarde deve ser trabalhado. Há muito o que dizer sobre o fato de se estar amando, pois quando uma pessoa está amando, ou pensa estar, deseja *dar* e, por um curto período, não procura obter nada em troca daquilo que dá. Expressando o caso de maneira diferente: a pessoa transpira algo que, pode dizer-se, é o que de mais alto pode oferecer. Essa oferta é uma causa que deve produzir um efeito. Em outras palavras, a lei do carma deve funcionar em sua forma natural. Um intercâmbio autêntico de amor realiza um companheirismo ideal, para progredir seja no que for, pois cada qual está desejoso e ansioso por ajudar o outro de todas as formas possíveis. Assim, recebo com satisfação esse contato entre os dois, e não me importo de confessar que tinha a esperança de que o conseguiriam. Eu não podia trazer o senhor até aqui, deliberadamente, porque isso seria interferir com o trabalho natural da lei do carma que mencionei. Presume-se que estava em seu destino encontrá-la de novo sob estas condições diferentes, e agora depende de ambos obterem vantagens da força de circunstâncias que tornou este vínculo possível. Como é fascinante o trabalho de Deus, do Destino. Se Charles não tivesse sido morto, o senhor não se sentiria tão infeliz e eu não teria sido designado para ir ajudá-lo. Agora, através de seus esforços para compreender algo sobre o plano evolutivo, o senhor teve permissão para reencontrar uma pessoa que considerava perdida para sempre — ou perdida pelo resto de sua vida física.

"Não posso garantir que, na manhã seguinte a uma expedição astral em que tenham estado juntos, o senhor poderá recordar sempre as suas experiências. O desenvolvimento de uma perfeita memória, cobrindo o que se faz quando se está fora do corpo físico, requer muita prática e, por enquanto, o senhor é um discípulo muito jovem. Eu o ajudarei a se lembrar do que vir esta noite e, quando escrever seu registro das ocorrências noturnas, compreenderá como é importante levar de volta, para suas células cerebrais físicas, o resultado de sua perambulação. Fará, provavelmente, um grande esforço, no futuro; esse esforço, aos poucos, irá permitindo que tenha a tão essencial continuidade de consciência. O simples fato de ter encontrado alguém no mundo astral, alguém de quem gostava tanto no mundo físico, irá encorajá-lo a fazer esforços hercúleos para dominar suas limitações. Daphne também pode auxiliar muito porque, tendo vivido neste nível há alguns anos, conhece o poder do pensamento. Ela sabe, também, o que *pode* e o que *não pode* ser feito no nível astral. Se o senhor continuar com seus esforços para recordar o que faz enquanto está fora de seu corpo físico, à noite, poderá ter uma segunda existência, por assim dizer, uma vida que o senhor leva apenas quando seu corpo físico está adormecido.

Daphne, então, entrou na conversa, voltando-se para o meu amigo.

— Mas, Acharya — disse ela —, tal como disse, se posso ajudar muito o Henry agora, por que não pude estabelecer ligação com ele antes? Tentei tão fortemente, depois que cheguei a este plano, mas logo em meus primeiros dias, quando estava vivendo na primeira esfera deste mundo, não me pareceu que pudesse impressioná-lo de qualquer maneira. — Antes que meu amigo pudesse responder, eu interrompi: — Escutem uma coisa, vocês dois: vocês se conhecem? Você chamou meu amigo de Acharya e ele nunca me disse seu nome, embora tenhamos estado muito juntos, nestes últimos dias. O senhor se chama Acharya?

— Sim e não — respondeu meu amigo hindu. — Esse nome é, com certeza, parte do meu nome, e habitualmente chamam-me assim aqueles que têm contato comigo neste nível. É bastante bom para o nosso propósito; portanto o senhor também pode me chamar assim, se quiser, mas depressa compreenderá que os nomes pelos quais as pessoas são conhecidas no mundo, pelo menos o sobrenome, não são, afinal, tão importantes. Você, Daphne, não podia entrar em contato com Henry — percebe, Henry, que é a primeira vez que menciono seu nome? — porque ele ainda não estava acordado, no sentido espiritual ou oculto e, conseqüentemente, não se recordava de nada que fizera quando fora de seu corpo, a não ser através de vagos sonhos, que se mostravam extremamente enevoados e incompletos. Assim, quando deixava seu corpo, ele não tinha um plano concentrado, em pensamento, do que desejava fazer. Você falava com ele, eu sei, mas, como diz, Henry não parecia tão interessado como quando conversavam no mundo físico. Quando esperava que ele se lembrasse do que tinham falado algumas noites antes, eis que seu ouvinte parecia vago e monótono. Isso era devido ao fato de ele não estar acordado. Foi preciso uma grande tragédia, tal como a morte de seu bem-amado irmão Charles, para levá-lo a clamar por luz, pelo conhecimento oculto. Foi preciso que houvesse uma crise, porque, através dela, surgiu o anseio de conhecimento — e o que um homem realmente deseja ele pode ter, contanto que esteja disposto e ansioso pelo trabalho. "Bate, e te será aberto", "Busca, e acharás", disse o grande Mestre, o Cristo, e essas palavras são literalmente verdadeiras. Agora, porém, precisamos seguir, pois tenho mais coisas para lhe mostrar, antes que chegue a hora de retornar a seu corpo. Talvez você queira vir conosco, Daphne?

— Quero, sim — disse Daphne —, porque sei que com o seu conhecimento e auxílio posso ir a lugares que ainda não me é possível visitar com o meu limitado conhecimento.

— Primeiro, olhe para o seu relógio — disse-me Acharya — e veja quanto tempo se passou desde que deixou seu corpo.

Olhei, e vi que o mostrador do meu relógio se mostrava estranhamente enevoado. Tentei imaginar que horas seriam, e cada hora em que pensava os ponteiros do meu relógio mudavam de posição para sincronizar com o meu pensamento.

— Receio não saber — disse eu —, porque meu relógio parece mudar a hora a cada pensamento meu.

— Isso é bem verdade — falou Acharya — porque o senhor está olhando, não para um relógio astral, mas para o relógio que imaginou estar em seu pulso. Está habituado a usar relógio; assim, automaticamente, levanta o pulso a cada vez que deseja saber as horas. O simples fato de que espera encontrar um relógio em seu pulso faz com que o relógio apareça pois este é o mundo da ilusão e aquilo em que se pensar num momento *existe* naquele momento. Espere aqui, e eu vou certificar-me quanto às horas, naquilo em que elas nos interessam, já que apenas nos interessa o tempo existente no lugar onde seu corpo está deitado. Saberei quando deve retornar a seu corpo. A hora marcada em outras partes do mundo não interessa neste caso.

Quando terminou de falar, Acharya pareceu desvanecer-se no ar. Eu mal me havia recuperado de minha surpresa, e ele já estava de volta, de pé, a meu lado. E continuou:

— Voltei a seu corpo, adormecido em Colombo, e o relógio de seu pulso marcava 11 horas e 30 minutos.

— Com certeza meu relógio parou — disse eu —, porque parece que estamos no plano astral há horas, e não apenas há uma hora e meia. Acharya continuou:

— Depressa compreenderá que o tempo parece diferente no nível astral, em relação àquele a que está habituado no nível físico. É bem verdade que só se passou uma hora e trinta minutos, desde que emergiu do seu corpo físico e iniciamos nossa viagem, e o senhor compreenderá ainda melhor o que digo, amanhã, quando anotar suas experiências e perceber o que fez em apenas uma hora e meia de tempo do plano físico. Deve ter tido, em sua vida física, a experiência de acordar às 6 horas da manhã, sabendo que não precisaria levantar-se antes que se passasse mais uma hora, pelo menos.

"Voltou-se na cama, tornou a dormir, e teve um longo e complicado sonho que, em tempo, pareceu ter durado um dia inteiro. Então acordou e seu relógio lhe disse que só tinha estado adormecido durante vinte minutos. O que eu lhe disse é um fato astral, que deve recordar, pois o tempo não existe neste nível.

Deixamos, então, a sala de trabalho de Daphne, e estávamos de novo no corredor. Flutuamos, descendo as escadas, para o vestíbulo principal. Não parecia haver ninguém ali, embora passássemos por um homem que ia para a Academia cuidar de seus estudos, pois trazia um estojo sob o braço, parecendo tratar-se do estojo de uma flauta. Sorriu, ao passar por nós, mas nada falou.

Acharya disse que desejava levar-nos a ouvir uma sinfonia especial, um concerto que o reino deva estava dando na profunda floresta, parte remota do mundo astral, onde os humanos raramente penetravam. Contou-nos que obtivera permissão para que eu e ele assistíssimos, e que não tinha dúvida de que não seria feita objeção à presença de Daphne, principalmente pelo fato de estar ela dedicando grande parte de sua existência astral ao estudo da música. Explicou que aquele concerto seria inteiramente diferente de tudo quanto tínhamos ouvido até então, porque seu objetivo não era apenas o de produzir bela música. Havia o propósito específico de criar um turbilhão de energia, que pudesse ser utilizada para influenciar uma conferência particularmente importante que estava tendo lugar, naquele momento, no mundo físico. Não disse de que conferência se tratava, mas deu a entender que se tratava de algo relacionado com a guerra, e que as decisões tomadas nessa conferência teriam grande relação com o eventual resultado da mesma, e também com a data em que o mundo cessaria de lutar e decidiria tentar resolver as diferenças através de negociações, em lugar de recorrer a armas e munições. Explicou que aquela energia podia ser criada em dois dias através de profunda concentração e por meio do som. Aquela fusão de acordes, que acontecia porque cada indivíduo participava do processo de concentração profunda visando um propósito definido, criava um turbilhão de energia que, quando transmitida ao local da reunião, por meio do pensamento, influenciava realmente as pessoas que tomavam parte na conferência. Ele deu, como exemplo, um grupo de pessoas que estavam irritadas, algumas zangadas e todas mais ou menos exaustas. Antes da abertura de uma reunião assim, o presidente da assembléia tomou providência para que todos recebessem uma bebida e pudessem fumar. Ao mesmo tempo, certificou-se de que cada qual estivesse acomodado em cadeira confortável, e que o aposento, caso estivesse fazendo frio, fosse aquecido a ponto de as pessoas se sentirem relaxadas. A reunião teve início, o presidente talvez abrisse os trabalhos contando uma boa história. Uma segunda rodada de bebidas foi servida, e então cuidou-se dos pontos sérios da agenda. Qual seria o resultado? As pessoas presentes, que pouco antes sentiam-se irritadas e prontas a discordar umas das outras, desenvolveram uma camaradagem que tornou possível uma discussão sensata e que facilitou o trabalho do presidente. Da mesma maneira, mas em grau muito maior, a energia gerada pelo esforço que o reino deva devia fazer naquela noite poderia influenciar um grupo de homens cujo grande prestígio chegaria a dominar o destino de milhões de seres humanos. O que eles decidissem iria, realmente, influenciar o futuro da humanidade, justificando tamanho trabalho.

 Sem maiores preâmbulos, nos afastamos, então, dali, flutuando uns cinco metros acima do solo e viajando a uma velocidade de cerca de setenta e cinco quilômetros por hora. Aquela parte do mundo astral não parecia ocupada por seres humanos. Não me recordo de ter passado por qualquer indivíduo, ou grupos de indivíduos, durante nossa travessia rápida. Reparei que a região era de inexcedível beleza, e que de vez em quando passávamos por edifícios, de perto ou de longe, edifícios que pareciam semelhantes ao da Academia, de onde havíamos saído pouco antes. Havia profusão de flores por toda parte, e numerosas árvores esmaltavam os campos. Aqui e ali eu via trechos densamente arborizados da região, mas estávamos viajando depressa demais para que se pudesse reparar em algo de significativo. Penso que foi Acharya que falou o tempo todo e, tanto quanto me recordo, descreveu a região através da qual estávamos passando. Minha mente, contudo, estava tão repleta das maravilhas da minha viagem, e do que ainda estava por acontecer, que não posso recordar nada de interessante para registrar.

Depois de viajarmos durante o que me pareceram uns quinze minutos, vi diante de nós o que dava a impressão de ser uma densa floresta, e me lembro de que Acharya apontou para aquele ponto de referência, quando dele nos aproximávamos, como o que marcava o fim de nossa jornada. Contudo, não tocamos o solo à orla da floresta, mas flutuamos alguns centímetros acima do topo das árvores, talvez durante uns cinco ou seis quilômetros, e então — diminuindo nossa velocidade até algo que se aproximava do passo comum — Acharya conduziu-nos através de uma abertura entre as árvores, onde observei que havia a clareira mais bela, aberta na forma tosca de um círculo, com um diâmetro talvez de uns cinqüenta metros.

Ao descermos ao solo não notamos sinais de atividade, nem vimos ninguém nem algo que se movesse no espaço aberto diante de nós. Fomos conduzidos por Acharya a uma imensa árvore, cujas raízes nos proporcionaram confortável assento, e meu amigo recomendou-nos que nos sentássemos e que permanecêssemos calados. Talvez seja oportuno que eu mencione a minha impressão sobre a luz desse espaço aberto ou clareira. Estávamos densamente rodeados por árvores, tal como numa selva indiana, árvores cujas copas pareciam espalhar-se, de forma que o espaço acima era muitíssimo menor do que o do círculo à beira do qual estávamos acomodados. Conforme falei, no plano astral a luz é cinza-azulada, muito mais clara do que a mais perfeita luz do luar, mas sem o efeito brilhante, direto, que dá a luz solar. Visualizem essa clareira perfeitamente iluminada por inteiro. Se um coelho corresse através do círculo aberto ninguém poderia deixar de vê-lo, até que tivesse desaparecido na espessura da selva. Tínhamos, portanto, visão perfeita de tudo quanto aconteceu, e ao mesmo tempo estávamos rodeados por uma densa floresta, na qual pouca ou nenhuma luz penetrava.

Depois de estar ali sentado por alguns minutos, reparei num grupo de homenzinhos — pareciam anões — que emergiam da floresta na ponta esquerda do lugar onde eu me encontrava, e que ali se sentaram, de pernas cruzadas, em semicírculo. Tanto quanto me recordo, havia cerca de dez deles, e cada um levava um instrumento que parecia um cruzamento de tímpano com tambor. Vi que estavam vestidos com pequenos trajos de cor marrom, e usavam minúsculos sapatos e barretes feitos de um material verde vivo, muito mais brilhante do que a folhagem das árvores. Suas feições pareciam ser a de homens de meia-idade, variando entre os quarenta e os setenta anos de idade, a julgar pelos padrões da Terra. Os que viram o filme de Walt Disney, "Branca de Neve e os Sete Anões", terão uma idéia muito boa da aparência daqueles homenzinhos. Não falavam, nem produziam som algum.

Logo depois, um grupo de pessoas muito mais altas emergiu da floresta, tanto homens como mulheres — uma raça inteiramente diferente. Pareciam estar mais próximos do tipo humano, mas eram positivamente etéreos em sua aparência. As mulheres desse grupo eram jovens, cujas idades podiam variar entre os dezoito e os vinte anos. Tinham todas longos cabelos soltos ou amarrados com uma fita azul ou verde. Tanto homens como mulheres estavam em absoluto silêncio. Esse grupo alcançava talvez umas trinta e cinco pessoas, e todas elas traziam instrumentos, obviamente de caráter musical, porém diferentes dos violinos, violoncelos, clarinetas e flautas que vemos numa orquestra do mundo ocidental. Não se sentaram, mas arranjaram-se de forma que os que traziam instrumentos iguais ficassem mais ou menos juntos, enquanto todos formavam um grupo compacto, de pé, a cerca de uns vinte metros do primeiro grupo de homenzinhos.

Não parecia haver o menor sopro de vento, contudo os ramos das imensas árvores moviam-se muito levemente. Um silêncio espantoso prevaleceu durante dois minutos, e então, de repente, os homenzinhos começaram a usar seus tambores. Quase simultaneamente, começaram a cantar, em voz muito baixa, que se confundia com o fundo dos tambores, sem roubar a beleza das notas que saíam das bocas dos homenzinhos. Tratava-se, era evidente, de um canto espiritual, ou mantra, porque o próprio ar se saturava com o fluxo de força que, bastante definidamente, eles estavam tentando criar. Depois de talvez seis versos daquele canto, o segundo grupo, ou orquestra principal, começou a tocar. É inteiramente impossível descrever a beleza da música tocada, a fundir-se com perfeição no fundo constituído pelo delicado tamborilar. O volume não era grande, mas fascinava, pela beleza e pela pureza. O que estava sendo tocado era uma sinfonia, pois tinha movimentos separados e distintos, com um tema principal que era repetido de quando em quando. Dois movimentos completos tinham sido tocados, e a orquestra estava em meio de um terceiro movimento quando, de súbito, o que parecia ser uma voz humana de espantosa beleza soou no ar. Parecia vir de cima, e eu, imediatamente, levantei os olhos. De início nada pude ver, e depois de algum tempo Acharya chamou minha atenção para uma árvore distante, no lado oposto da clareira; bem no topo dela pude ver o que parecia ser uma jovem de grande beleza, sentada nos galhos, com os cabelos flutuando, e fazendo o solo naquela belíssima sinfonia de som. Era um puro soprano, voz sem grande volume, mas de uma pureza tal que cada nota feria as cordas do meu coração, e eu tive vontade de chorar.

Assim continuou por uns dez minutos: a orquestra tocava alguns compassos, a moça cantava, num solo desacompanhado; mais tarde, passava ao método comum de cantar com acompanhamento de orquestra, construindo aos poucos a energia pela qual a música estava sendo tocada. Um quarto movimento, que parecia incorporar o espírito dos três que o haviam precedido, e inteiramente orquestral, encerrou o espetáculo. A sinfonia simplesmente se foi apagando e, subitamente, pudemos sentir que o silêncio que fora tão notável havia retornado. Olhei para o topo da árvore, onde a cantora estivera, e não a vi mais. Os grupos que formavam a orquestra, assim como os homenzinhos, permaneciam em seus lugares, agora sentados no chão. Saindo da floresta, apareceu um homem, muito velho, de barba caudalosa e vestido com trajos de cerimônia. Caminhou lenta e calmamente para o centro da clareira e, erguendo as mãos em súplica para alguma forma de deidade, começou o que parecia ser uma invocação, porque os dois grupos de musicistas inclinaram a cabeça e ouviram com atenção suas palavras. Não entendi uma só palavra do que ele disse, contudo percebi que se tratava de uma prece, um pedido para que o trabalho terminado naquele momento tivesse êxito. Tratava-se, igualmente, de um esforço de vontade, porque cada membro de ambos os grupos concentrava-se ao máximo para que o propósito pudesse ser alcançado. Tudo aquilo terminou bastante depressa. Silenciosamente, o ancião desapareceu pela selva. Então o grupo de musicistas levantou-se e, descendo pela clareira, saiu do alcance de nossos olhos. Eu estava tão impressionado pelo que tinha ouvido que não me queria mover, e foi mesmo um choque para mim ouvir Acharya dizer: — Bem, por esta noite acabou. Estou muito interessado em saber quantos pormenores o senhor recordará amanhã pela manhã.

Eu ainda me sentia aturdido, por assim dizer, quando me levantei. Flutuando através da abertura entre as árvores, começamos nossa viagem de volta. Acharya deu-nos uma idéia do significado da cerimônia que acabávamos de testemunhar, mas não tenho idéia muito clara do que ele disse, porque trazia ainda um redemoinho na mente e só pensava na maravilhosa influência espiritual, que parecia ter sido a parte mais notável do concerto, de princípio ao fim. Recordo, contudo, que ele descreveu os diferentes músicos. Disse que os homenzinhos eram espíritos da natureza, e que a orquestra se compunha de membros do reino deva, uma evolução paralela a nosso reino humano. Esses membros, em seu esquema de evolução, tinham desenvolvimento igual ao de Daphne, e ao meu próprio, no reino humano. A solista estava em categoria diferente, porque era uma deva altamente evoluída e, para igualá-la nessa evolução, só os indivíduos extraordinariamente avançados da nossa. O ancião podia ser descrito como um sacerdote, porque dedicava-se às funções sacerdotais daquela evolução e evoluía através delas, de maneira muito similar ao que acontece no reino humano.

No devido tempo chegamos à Academia, e paramos no gramado que ficava diante da entrada, porque Acharya disse que eu tinha necessidade de reter com clareza o desenho daquele edifício em minha mente, para ocasiões futuras. Perguntei a Daphne como poderia encontrá-la de novo, dado que conseguisse chegar até aquele edifício por meus próprios esforços. Acharya, respondendo por ela, disse que, habitualmente, eu podia estar certo de encontrar Daphne no mesmo aposento que ela ocupava quando da minha chegada, porque, não havendo aglomerações no mundo astral, a maioria das pessoas podia manter um local de trabalho particular. Contudo, sugeriu a Daphne que ela me mostrasse a pequena casa de campo em que morava. Daphne ficou encantada com a sugestão e nos convidou a ir vê-la. Partiu à frente, flutuando sobre o topo da Academia, quando, para minha surpresa, vi o que parecia uma "Cidade Jardim" em miniatura, repousando num vale cerca de uns setecentos metros distante, aos fundos do imenso edifício. As casas, embora pequenas, estavam espalhadas; assim, cada pequeno chalé tinha, pelo menos, uns quatro mil metros quadrados de terreno. Via-se bem que cada ocupante havia planejado não só sua própria casa como seu jardim, de acordo com o seu tipo particular de temperamento e gosto. O resultado era inexcedivelmente belo. Havia casas que pareciam ter sido transplantadas de um dos belos distritos rurais da Inglaterra; outras faziam lembrar as pequenas aldeias do sul da França; outras eram puramente italianas, e reparei que havia ali pelo menos dois edifícios que se pareciam a templos orientais. Acharya percebeu que eu estava interessado nos diferentes tipos de arquitetura, e mostrou-me duas casas com zimbórios semelhantes aos dos templos maometanos que eu vira, e disse que pertenciam a pessoas particularmente interessadas em ter um aposento com perfeitas propriedades acústicas.

Embora eu pudesse ficar contemplando aquela maravilhosa paisagem, percebi que Daphne estava ansiosa por nos mostrar seu lar, e assim, com ela à frente, caminhamos por uma rústica passagem de talvez uns duzentos metros. Ela nos fez atravessar um portão que dava para o jardim, verdadeiro resplendor de cores. A casa poderia ser descrita como uma casa de sonho, e seu desenho imediatamente me seduziu. Diante do terraço havia um pequeno gramado, no meio do qual crescia uma árvore de sombra. Havia várias cadeiras de vime arranjadas sob seus galhos espalmados, e essas cadeiras pareciam muito confortáveis e atraentes, com suas brilhantes almofadas de cretone. Senti, imediatamente, a vantagem de não haver o perigo da chuva ou dos ladrões, no mundo astral, de forma que as coisas podiam ser deixadas ao ar livre por um período indefinido.

Entramos na casa, e Daphne mostrou-nos, antes de mais nada, o maior dos quatro aposentos de que ela se compunha. Esse aposento estava mobiliado como sala de estar, com sofás e poltronas estofadas, mesas de diferentes tipos, outras cadeiras pequenas e um piano de meia-cauda a um canto. Não havia sinal de ostentação, mas era evidente que as idéias pessoais da proprietária tinham tido plena expansão, o que no mundo é amiúde impossível, devido ao custo das coisas que desejaríamos tanto possuir. Ali não havia limitações, e estava claro, olhando-se para aquele aposento, que a dona da casa era pessoa de gosto artístico, mas sem qualquer desejo de exibição, fosse sob que forma fosse. Havia várias janelas amplas, estendendo-se quase que por toda a extensão da sala, e a clara luz astral, que entrava através delas, fazia com que se destacasse a bela fusão de cores no tecido que cobria os sofás e cadeiras, e o colorido do tapete persa, que se unia tão harmoniosamente com os estofados, cortinas e tapeçarias. Compreendi que seria fácil obter perfeição naquele nível, se a pessoa tivesse as idéias certas. No mundo era possível que se procurasse durante anos sem encontrar um tapete persa que se unisse tão perfeitamente com as outras cores usadas na decoração do aposento. As paredes eram de um tom marfim, e se apresentavam nuas, a não ser por um par de gravuras e uma ou duas adoráveis aquarelas. Era um aposento onde se tinha vontade de ficar. Parecia um lar, e não um arranjo para exposição. Só ao atravessar os aposentos era possível imaginar qual o tipo da pessoa que neles vivia, e pude compreender o anseio de Daphne por nos mostrar a casa.

O aposento que vimos a seguir era um dormitório, um típico dormitório de mulher, com um divã a um canto e todos os demais pormenores de mobiliário que habitualmente se encontram num quarto desse gênero, perfeitamente decorado. Surpreendeu-me o fato da necessidade de um dormitório no mundo astral, onde o sono não faz parte da rotina da vida. Daphne explicou isso, entretanto, perguntando-me se não havia ocasiões em que eu sentia o desejo de repousar em posição reclinada, apenas para ler ou pensar, e eu tive de admitir que isso acontecia. Daphne disse-me, então, que passava muitas horas felizes relaxada em seu divã, pensando, lendo e fazendo planos para o futuro.

Os outros dois aposentos eram uma biblioteca e uma cozinha. A biblioteca estava mobiliada com o mesmo conforto e o mesmo gosto artístico dos outros dois aposentos, as estantes repletas de livros, todos encadernados em belo couro russo, cobrindo completamente duas paredes. Só o contemplar dos volumes deu-me vontade de me sentar e de verificar o que continham. A cozinha possuía todo o aparelhamento moderno e, embora eu pensasse que uma cozinha seria desnecessária ali, Daphne disse que gostava de fazer pequenas refeições para as reuniões que organizava. Acharya tornou a fazer sentir que os hábitos morrem bem lentamente nos seres humanos, e, habitualmente, muitos anos de existência se passavam no mundo astral, antes que tais hábitos fossem inteiramente erradicados e esquecidos.

Eu gostaria de ter permanecido ali por muito mais tempo, mas podia ver que Acharya estava começando a achar que era tempo de nos irmos embora. Fiz um último pedido, que era passar alguns minutos no jardim. Foi maravilhoso vaguear entre os canteiros floridos, sentindo o perfume de determinadas flores e descobrindo, em cada caso, que cada perfume era exatamente igual ao daquelas flores no mundo, talvez um pouco mais pronunciado. Acharya a essa altura fez um comentário, dizendo que eu só teria possibilidade de reconhecer determinado perfume se soubesse o que esperava. Por exemplo, se houvesse ali uma flor que eu nunca tivesse visto antes e cujo perfume não me fosse familiar, eu só sentiria o perfume que a aparência da flor me sugerisse, e talvez o verdadeiro fosse bem diferente daquele que eu imaginara.

Daphne acompanhou-nos até o portão, onde nos despedimos dela. Assegurei-lhe que, com toda a certeza, iria visitá-la de novo, se pudesse encontrar o caminho. Flutuamos novamente no ar, sobre o topo da Academia, descendo ao solo, mais uma vez, no sopé da elevação onde o edifício se erguia. Acharya disse-me, outra vez, que imprimisse o desenho do edifício em minha imaginação, de forma que pudesse fazer uma perfeita forma-pensamento dele, a qualquer tempo em que tentasse chegar até ali. Fiz isso. Então Acharya disse-me ser tempo de retornar ao meu corpo físico, em Colombo, e que os movimentos necessários a essa transferência eram os mesmos que tínhamos usado quando alcançamos aquela esfera do mundo astral. Explicou-me que não me preocupasse com aquilo, mas que simplesmente fizesse um esforço de vontade e empenho para criar formas-pensamento do gramado que ficava diante da minha casa, em Colombo. Segurou minha mão, como fizera antes, dizendo-me, contudo, que só o fazia para me incutir confiança, pois isso era inteiramente desnecessário. Comecei a me concentrar com todo o empenho e, ao fazer isso, reparei que o ambiente que me rodeava tornava-se imediatamente enevoado e, embora não houvesse resistência de vento que se notasse verdadeiramente, tive a impressão de me estar movendo através do espaço. Fechei os olhos, instintivamente, mantendo firme na mente a forma-pensamento do meu jardim e, depois de talvez alguns segundos, cessou a sensação de movimento. Abrindo os olhos, vi Acharya de pé a meu lado, no meu próprio gramado, do lado de fora da minha casa de Colombo, sorrindo à minha evidente surpresa. Entramos imediatamente em minha casa através da porta da frente, sem abri-la, subimos as escadas e atravessamos a porta do meu quarto, sem que eu ainda me espantasse pelo fato de nenhuma daquelas portas oferecer resistência. Na verdade, meu corpo, que eu deixara muitas horas antes, continuava adormecido, mas parecia mostrar alguns ligeiros sinais de desassossego, que Acharya explicou como reações normais de um corpo quando se aproxima a hora de acordar. Disse que eu acordaria bem depressa, e enfatizou a necessidade de me pôr a registrar, imediatamente, os pormenores do que acontecera na noite que havia terminado. Colocou a mão logo acima do alto da cabeça do meu corpo, e pareceu concentrar-se nas células cerebrais, de forma a dar-me a necessária assistência para que eu recordasse. Não me lembro de me haver despedido de Acharya, nem de ele ter deixado o quarto, pois dentro de segundos senti dentro de mim forte urgência de retornar a meu corpo. Com o movimento resvaladiço, que já notara de outra vez, deslizei de novo para dentro dele, e de imediato estava bem acordado.

Graças aos céus, as lembranças dos acontecimentos da noite estavam ainda comigo; assim, saltei imediatamente da cama, vesti um roupão e fui para a minha escrivaninha a fim de começar o relato da viagem que fizera. Faltavam quinze minutos para as seis horas, e achei necessário acender a luz, pois não havia claridade bastante para escrever ou usar a máquina. O registro tomou muitíssimo tempo para ser completado, mas eu havia organizado tudo, cuidadosamente, no dia anterior, para que não fosse interrompido. Pude terminar em paz e sem qualquer distração vinda do exterior.

Depois que tomei o desjejum, reli todo o meu registro, a fim de me assegurar de que nada esquecera. Esta noite pretendo fazer uma tentativa por minha conta, na intenção de retornar à terceira esfera, usando como ponto de referência a Academia onde Daphne trabalha.

Estou realmente excitado, desta vez, pois tenho algo a registrar. Não que tenha realizado algo maravilhoso, mas, pelo menos, tive algum sucesso. Depois de voltar de um passeio, sentia-me fisicamente cansado e aos poucos fui me preparando para me deitar. Li durante alguns minutos, quando fui para a cama, depois apaguei a luz e preparei-me para dormir. Lembro-me bem claramente do aspecto do meu corpo deitado na cama, e já não preciso visualizar-me num espelho hipotético, conforme me ensinaram nos primeiros dias. Não me recordo de ter deslizado para fora do corpo, mas, com certeza, lá estava eu em meu quarto, com o corpo deitado na cama, tal como o tinha visto anteriormente. Saí do quarto através da porta, desci as escadas e, pela porta da frente, fui ter ao gramado onde Acharya e eu tínhamos estado de pé, não havia muitas horas. Só podiam ter passado dez minutos das dez horas, porque ainda havia gente por ali, caminhando e dirigindo carros pela rua. Compreendi que o que eu estava vendo era a reprodução astral dos carros e daquela gente, e que me encontrava, realmente, na parte mais baixa, ou na primeira esfera do mundo astral.

Agora, eu ia fazer minha tentativa para sair da primeira esfera e subir à terceira, onde Daphne vivia. Ia me concentrar com toda a minha força de vontade e fazer a forma-pensamento da Academia, que Acharya me fizera visualizar tão cuidadosamente no início da manhã. Fechei os olhos e usei cada migalha de força de vontade que possuía. E, realmente, a sensação de que me movia sem qualquer resistência ao vento era a mesma. Mantive a forma-pensamento da Academia muito clara, em minha mente, desejando alcançar aquele lugar. E, de repente, senti que a sensação de movimento cessara, e abri os olhos. Graças aos céus, eu havia conseguido! Ali estava a Academia, no topo da colina, tal como eu a vira na noite anterior. Minha excitação foi quase impossível de suportar, de tão grande. Realmente devo ter perdido de todo o controle das minhas faculdades, porque, subitamente, tudo o que havia ao redor, inclusive a Academia, tornou-se enevoado e o que posso recordar a seguir é que acordei na minha cama e no meu corpo físico, em Colombo, com o coração batendo em ritmo acelerado.

Oh! Deus! Tinha estragado tudo! Cheguei até lá! Alcancei realmente o lugar almejado e, por causa da minha excitação e da falta de controle, voltei para onde havia começado, e bem acordado. Devo ter ficado ali deitado pelo menos umas duas horas, amaldiçoando minha estupidez e descontrole, e então tornei a sentir sono. Decidira tentar de novo, e dessa vez manter o controle das minhas faculdades, de forma a não precisar voltar para o corpo físico, antes que ele tivesse tido sua cota normal de sono.

Mais uma vez concentrei-me para sair de meu corpo, e ao mesmo tempo mantive diante de mim a forma-pensamento do edifício da Academia. Dessa vez a saída do meu corpo foi um pouco diferente do que na primeira ocasião. Não me recordo, de forma alguma, de ter estado em meu quarto, como pouco antes, naquela mesma noite, mas, para meu espanto e grande alegria, vi que me encontrava no mesmo lugar do qual fora tão rudemente arrastado quando perdera o controle, algumas horas antes. Dessa vez lembrei-me de que era preciso ter controle e, de certa forma, me obriguei a permanecer calmo. Sei que me sentei na grama, sem fazer qualquer esforço para me aproximar da Academia. Concentrei-me, apenas, e profundamente, em acalmar as batidas do coração e em permanecer frio e calmo.

 Então levantei-me, flutuei até a entrada principal do edifício, subi as escadas e fui até a porta do aposento que, segundo me lembrava claramente, Daphne estava ocupando na noite anterior. Dessa vez eu compreendia que não havia possibilidade de passar através da porta, da mesma forma com que se atravessa no plano físico, pois aquele edifício era composto de matéria astral; portanto, uma porta, ali, era obstáculo para a passagem de alguém, porque eu também estava em matéria astral. Bati à porta e esperei, mas não houve resposta. Tornei a bater, pensando que o ruído não havia sido suficiente para que a ocupante o escutasse, mas de novo o silêncio completo reinou e a porta não se abriu. Depois de um pouco de tempo girei cuidadosamente a maçaneta e, tomado de timidez, espiei para dentro. Vi que o aposento era aquele onde encontrara Daphne, na noite anterior. Assim, sem mais insistir, fechei de novo a porta, flutuei para descer as escadas e sai pela porta da frente. Levantando-me no ar, passei por sobre o topo do telhado e segui meu caminho, na esperança de que Daphne estivesse em sua casa. Desci ao solo antes de alcançar a cidade-jardim, e tornei a contemplar a bela paisagem. Aquilo, realmente, era uma visão do Paraíso. Não era para admirar que eu tivesse querido ficar a contemplá-la por mais tempo, na última noite. Havia ainda mais tipos de casas do que eu havia imaginado. Eu me sentia absolutamente eletrizado pelo quadro que se abria diante de mim. E só desejava ser um artista, porque assim, ao retornar a meu corpo, talvez pudesse reproduzir algo com alguma semelhança do que via tão pormenorizadamente.

 A cidade-jardim ocupava um vale ondulante, e por todos os lados o solo ia subindo aos poucos, até alcançar uma fileira de colinas claramente visíveis a distância. Contemplei à vontade os belos jardins, que só podiam existir num mundo onde não há as limitações de trabalho e fortuna. Há muito que dizer quanto ao cultivo da imaginação quando da existência em nosso plano físico, porque embora o devaneio não produza qualquer resultado prático enquanto estamos vivos, mesmo assim a faculdade de poder imaginar em pormenor, com toda a certeza, se estabelece no mundo astral. Nela a pessoa apenas tem de ter capacidade para visualizar algo e pensar fortemente nele para que o pensamento se transforme imediatamente em fato estabelecido, um fato que permanece exatamente durante o tempo em que, através do pensamento, a pessoa desejar que ele continue existindo. Gente feliz, realmente, e passou-me pelo pensamento que, agora, sabendo um pouco mais sobre o que podia me esperar ali, não me atormentaria se me dissessem que depressa chegaria a minha vez de deixar o mundo físico. O que eu vira e aprendera, levava-me a compreender que a felicidade era sempre possível para as pessoas que deixavam o mundo, se elas realmente desejassem a felicidade. Meu último pensamento, antes que inesperada interrupção ocorresse, foi o de como era fácil formar uma idéia de quase cada um dos ocupantes daquelas casas. No mundo físico, seria um erro julgar um homem pelo seu jardim, porque, provavelmente, pouco ou nada ele teria a ver com sua criação. Ali, não havia necessidade de jardineiros, e cada jardim era criação de seu dono. A partir daí, era bastante possível chegar a uma idéia quanto às características principais da pessoa. Eu gostaria de ter podido fazer um teste com a minha teoria.

Exatamente nesse momento minha atenção foi atraída por uma figura vestida de branco que vinha correndo em minha direção, ao longo da passagem rústica, e que gritava, enquanto corria. Era Daphne, naturalmente, e fazia-se evidente que ela estava muito agitada. — Conseguiu vir, Henry! Estou tão contente! Nestas últimas horas venho tentando muitíssimo ajudá-lo e pensei que meus esforços tinham sido inúteis. Ainda há pouco senti, uma vez, que você estava perto de mim, e fiquei quase certa de que conseguira transpor o véu, mas a impressão foi se desvanecendo e eu já tinha perdido a esperança, quando senti, novamente, que você estava se aproximando. *Tive* que vir para este lugar, nem sei por que, e quando vi você aí de pé, num devaneio, mas realmente aqui, penso que meu coração deixou de bater por um momento, de pura alegria.

Olhei para a graciosa figura que estava diante de mim. Parecia apenas um pedacinho de mulher, vestida com um trajo de musselina, que desenhava seu corpo juvenil em linhas das mais encantadoras, e fiquei maravilhado com a sua beleza. Seus cabelos castanho-escuros, de reflexos dourados a percorrê-los, formavam perfeita moldura para a expressão animada de seu belo rosto, cujos olhos demonstravam um amor tão puro que poucos homens o terão visto no mundo. Tudo quanto era digno em mim pareceu vir à tona, e eu senti o velho desejo de proteger, de defender e manter, que é o verdadeiro sentimento de um homem em relação à companheira escolhida. Não tinha vontade de falar e, delicada, embora firmemente, tomei-a em meus braços e, com muita reverência, beijei-a no rosto e nos cabelos. Não havia paixão no meu abraço. Parecia não haver lugar para a paixão, mas um profundo e arraigado desejo de me aproximar mais daquela menina dos meus sonhos, um desejo de conhecê-la melhor e, se possível, aumentar a felicidade de que ela já gozava. Ela retribuiu meus beijos, sem denotar surpresa alguma pelo que eu fizera. Por um momento seus olhos encheram-se de lágrimas, lágrimas que imediatamente tentei enxugar com beijos, quase antes que elas tivessem aparecido. Então, ela desviou o rosto, enquanto nos voltávamos e, com meu braço em torno de sua cintura, caminhamos vagarosamente na direção da casa.

Quando lá chegamos, eu a levei até a sala de estar, para junto do piano. — Toque para mim, querida — eu disse —, sinto que preciso de música exatamente agora. — Puxei uma cadeira e sentei-me ao lado dela. Daphne tocou — não posso recordar o que tocou, mas sei que era algo que representava alegria. Recostei-me, fechei os olhos em puro êxtase, e por alguns momentos concebi a paz que ultrapassa a compreensão e que, uma vez sentida, torna as demais sensações vazias e imperfeitas.

Não sei por quanto tempo falamos, mas eu me recordo de lhe ter contado sobre meu sofrimento depois que Charles foi morto e de como Acharya tinha vindo ter comigo, bem como as experiências que tivera até a noite da véspera, quando, com o auxílio do hindu, eu a encontrara. Decidimos que, embora estivéssemos divididos pelo fato de vivermos em diferentes níveis de consciência, o que tornava impossível a vida em comum tal como é compreendida, criaríamos uma vida de união, com as coisas tais como eram, e provaríamos que a morte não era, de forma alguma, uma barreira para a continuação da felicidade. Sentíamo-nos ambos seguros de que nossos sentimentos mútuos me capacitariam a transpor o véu sempre que necessário, e que eu iria ter com ela, embora ela não pudesse vir ter comigo.

Daphne contou-me algo sobre as pessoas que viviam no vale. Muitas delas eram suas amigas, e gostaria que eu as conhecesse. Explicou-me que as pessoas daquele nível se uniam, quando seus interesses eram semelhantes, mas que não havia casamento no sentido comum da palavra. Conheciam-se umas às outras pelo nome de batismo ou pelo apelido, nunca pelo sobrenome. Deu-me exemplos sobre alguns deles, mencionando que uma das moças, sempre feliz e sorridente, era conhecida como Raio de Sol. Outra, que se vestia sempre de azul, era chamada de Miosótis, enquanto um homem que fazia de sua vida ali um grande esforço para ajudar os demais era conhecido como Doutor. Eu disse que gostaria muito de conhecer esses seus amigos, mas como iriam eles receber-me, já que, no sentido comum da palavra, eu não pertencia ao seu mundo? — Você verá — disse ela — que neste nível só se repara no lado bom das pessoas, pois há muito poucos ressentimentos mesquinhos, como temos no mundo. Aqui cada qual pode ter o que outra pessoa tem, se o desejar, apenas fazendo a forma-pensamento para tanto. Portanto, não é necessário competir para alcançar os padrões alheios. As pessoas, aqui, tornam-se elas mesmas, e depressa você compreende, quando chega a conhecê-las como realmente são, que o velho ditado: "Há algum bem no pior dentre nós e algum mal no melhor dentre nós" é uma grande verdade.

Não tenho a menor idéia de quanto tempo passamos nessa conversação, mas recordo-me de ter começado a sentir certa inquietação dentro de mim, o que claramente queria dizer que meu corpo tinha tido sua cota de sono. Mal tive tempo de me despedir de Daphne, quando, sem qualquer outro aviso, as paredes da sala onde estávamos sentados pareceram desvanecer-se em névoa, que se evaporou instantaneamente, e de novo tive a sensação de me estar movendo no espaço. Imediatamente, estava acordado em meu corpo, em Colombo, pois nessa ocasião não houve brecha intermediária, isto é, não me encontrei em meu quarto com o meu corpo diante de mim, deitado na cama. Eu estava bem acordado, olhando para o relógio. Vi que eram 7 horas e que o sol brilhava em meu quarto. Levantei-me imediatamente e quase corri até a escrivaninha para iniciar o registro relativo aos acontecimentos da noite. E terminei agora. São dez horas e tenho apenas o tempo necessário para fazer a barba, tomar banho e comer alguma coisa, até a chegada de Acharya. Penso em qual será a sua reação diante de tudo quanto tenho para lhe mostrar. Ficará satisfeito com o progresso feito pelo seu discípulo ou irá dizer-me que tudo aquilo não passou de um instantâneo no fotografar a paisagem, e que é pouco provável que eu consiga viajar sozinho no futuro, e que são necessários muito mais trabalho e estudos sólidos antes que eu possa viajar sem guia? Saberei disso bem depressa. A figura de Daphne é ainda muito real. Talvez eu tivesse deixado passar a minha felicidade não me tendo casado com ela, na Inglaterra, quando tive essa oportunidade. Não sei, mas não me arrependo. Sinto que talvez haja um futuro diante de nós, futuro infinitamente mais fascinante e belo do que qualquer coisa que pudéssemos ter tido neste mundo.

Capítulo 8

*D*eviam ser mais ou menos 11 horas. Os últimos dez minutos eu havia passado junto à escrivaninha, relendo as notas que tomara sobre os acontecimentos da noite passada, quando, de súbito, a voz agradável que eu conheço tão bem interrompeu meu devaneio.

"Bem, Henry, meu amigo, então realizou algo que valeu a pena, finalmente. Agora talvez admita que teve ocasião de obter, por si mesmo, a prova sobre aquelas coisas que, conforme lhe disse em nossas primeiras conversações, eram fatos para mim."

Era Acharya que entrara no meu quarto com aquela sua maneira discreta.

— Sim, Acharya, estou disposto a confessar isso. Começo a compreender que mesmo as coisas que me disse antes, em conversas passadas, e sobre as quais ainda não pude obter provas conclusivas, poderão ser provadas, indubitavelmente, com maior experiência. Suponho que esteja bem a par do que aconteceu na noite passada, e não é necessário que lhe entregue meu registro. Mas gostaria que o lesse, de forma que pudesse verificar se esqueci alguma coisa importante.

Acharya disse que não só teria grande satisfação em ler meu registro, como também desejava ver as notas referentes à segunda viagem astral que tínhamos feito juntos. Acrescentou que falaria um pouco sobre esses registros, antes de me fornecer mais ensinamentos. Depois que terminou de ler, seu rosto demonstrava apreciação pelos meus esforços. Era evidente, ele estava muitíssimo satisfeito por me ter sido possível levar à prática real alguns dos ensinamentos que tão pacientemente me dera, durante as últimas semanas. Eu lhe disse quanto lhe devia por sua altruística e tão necessária ajuda, mas ele me assegurou que eu não devia me sentir de forma alguma em dívida para com a sua pessoa, porque seu trabalho particular, na vida, referia-se a casos como o meu, e que se sentia bastante recompensado se aqueles aos quais dava ensinamentos se beneficiassem com eles na vida prática.

Começou, então, a fazer comentários sobre as suas últimas noites, e eu o ouvi com muitíssima atenção. Eis o que ele disse: — Devo explicar, de início, que eu o levei à terceira esfera do mundo astral via Londres. Como sabe, isso era inteiramente desnecessário. Fiz aquilo para que o senhor pudesse compreender que qualquer cidade do mundo à qual pudesse ir ter em seu corpo astral se parece com a mesma com que está familiarizado, embora aquilo que *vê* não seja físico, mas a reprodução astral dos lugares físicos, tais como existem na *primeira esfera* do mundo astral. Daqui por diante será melhor que inicie sua viagem aqui de Colombo. Achará bastante fácil alcançar esferas acima da terceira, que é aquela onde encontrou Daphne, acionando o mesmo mecanismo. Quando se quer fazer isso, porém, é preciso ter um lugar particular em cada esfera, que se possa visualizar em pensamento e ao qual nosso corpo astral será transportado em alguns segundos, conforme o tempo que contamos aqui.

"Pensei que talvez se sentisse um tantinho assustado quando o ambiente que o rodeava se tornasse enevoado e o senhor começasse a ter a sensação de movimento. Devo felicitá-lo por não ter tido uma falha inicial, coisa que, já reparei, às vezes acontece com meus discípulos. Eles se amedrontam e, quase simultaneamente, acordam em seus corpos físicos, com o coração acelerado pelo efeito do medo. O senhor sentiu isso, realmente, porque na noite passada retornou a seu corpo físico durante algum tempo, sem ter tido a intenção de fazer tal coisa, quando sua excitação o dominou ao tentar o encontro com Daphne sem minha assistência.

"Não é necessário que lhe fale muito sobre a *segunda esfera* do mundo astral, pois é muito parecida com a primeira, sendo apenas menos povoada e menos ruidosa. Nas duas esferas mais próximas do mundo físico, os habitantes permanentes vivem mais ou menos o tipo de vida que sempre os atraíra no mundo físico. Na maioria dos casos, essas pessoas não permanecem ali durante todo o tempo de sua existência astral. Há exceções, tratando-se de pessoas tão ligadas à existência material, que não têm desejo de progredir passando para esferas mais altas do mundo astral, coisa que são forçadas a fazer depois de um período que pode ir de dois até cem anos. Chegando o tempo, o ego incita o veículo que está ocupando a passar através da "segunda morte" para o mundo mental. Esse método de progresso não é o habitual, e não será o seu quando chegar a ocasião de passar para o mundo astral. O senhor já compreendeu, vendo as atividades de algumas pessoas que vivem na terceira esfera, que a vida ali irá atraí-lo muito mais do que uma ronda de visitas por restaurantes, teatros ou cinemas.

"Eu pude mostrar-lhe tanto artistas como músicos trabalhando na *terceira esfera*, e teria sido bastante fácil para mim mostrar-lhe grandes engenheiros, artesãos devotados a determinados trabalhos e realmente todos os tipos de pessoas cujo grande interesse na vida não está ligado a divertimentos ou a atividades puramente materiais.

"Enquanto estava ouvindo a música tocada pelo grupo liderado por Johann Strauss, o senhor viu alguns membros daquela evolução paralela chamada reino dos devas. Quando tiver tido experiência de esferas mais altas do que a terceira, verá que não só eles são muito mais numerosos ali, como cooperam cada vez mais com os membros da evolução humana, à proporção que nos vamos afastando da vida material. Pode pensar que a existência deles é preferível à nossa, e que seria melhor evoluir dos peixes, das borboletas e dos pássaros para o estágio de elementos da natureza e, eventualmente, para o estágio dos devas, tal como os que viu compondo a orquestra que tocou na floresta. Nós não podemos modificar a nossa evolução, a não ser em circunstâncias excepcionais.

"Provavelmente estará cogitando no porquê de ter eu gasto tanto tempo na Academia, mostrando o trabalho que se faz em edifícios daquele tipo. Fiz isso por duas razões: a primeira foi para que o senhor tomasse conhecimento de que aquela não passava de uma das muitas escolas que existem no mundo astral, onde as pessoas podem receber ensinamentos na arte pela qual estão interessadas — ensinamentos que as capacitam a nascer, na próxima vida, com o desejo de continuar o estudo seguindo a mesma orientação, de forma que algumas entre elas cheguem a ser, finalmente, grandes mestres de sua arte e ajudem o mundo físico a progredir, tanto em cultura como em sabedoria. Minha segunda razão, o senhor deve ter adivinhado qual foi. Tendo um quadro bem claro do edifício da Academia em sua mente, depois que retornasse ao seu corpo físico em Colombo, poderia voltar àquele lugar com bastante facilidade sem qualquer esforço extraordinário. Dali poderia estabelecer contato com Daphne e continuar suas experiências no plano astral. Não esqueça isso para o futuro. Marque com atenção determinado edifício ou paisagem em sua mente, e poderá usá-los como formas-pensamentos nas quais concentrar-se, quando desejar ir ter àquela esfera particular da consciência.

"Espero que tenha compreendido, muito claramente, a necessidade de saber de que maneira o tempo afeta sua estadia no nível astral. Descrevi com pormenores esse importante ponto, de forma que compreenda como investigar, se se apresentar a ocasião.

"Nossa viagem à parte do mundo astral onde a cerimônia estava sendo celebrada não exige comentário. O senhor se lembrará de que depois que ali chegamos e nos sentamos ao pé de uma árvore, à beira do espaço aberto, eu preveni para que ficassem no maior silêncio possível. Isso porque os membros do reino deva não fazem objeções, realmente, ao fato de qualquer humano estar presente a seus trabalhos, mas não gostam de qualquer tipo de interrupção. Terá reparado na intensidade de propósito que prevaleceu durante toda a cerimônia. Os homenzinhos, ou gnomos, que saíram da floresta no início, e deram começo ao espetáculo cantando e batendo em seus tambores, estão num nível muito mais baixo de evolução do que o senhor, ou eu, ou os membros da orquestra. Uma coisa, entretanto, deve ter sido aparente: todos eles se concentravam, ao máximo de suas capacidades, no trabalho que realizavam. Não houve frivolidade nem tagarelice, como acontece nos concertos no mundo imediatamente antes do desempenho. Essa é a notável diferença que eu desejo deixar impressa em sua mente, porque, se quiser compreender os membros da evolução deva e, confio, trabalhar com eles no devido tempo, deve tomar consciência de que a vida é um assunto muito sério para eles, e a frivolidade não entra habitualmente em suas atividades. Não é que sejam incapazes de rir. Na verdade, é gente extremamente feliz, que parece gozar os simples prazeres da natureza, mas eles não permitem que influências externas perturbem, seja como for, a perfeição do trabalho que têm em mãos.

"Para que compreenda o que se segue, devo fazer uma digressão, por alguns momentos. Provavelmente, já ouviu falar em iniciados, *arhats* e adeptos, em nossa evolução. Essas palavras aparecem em livros de ocultismo, mas pouco se escreveu sobre elas. Posso, resumidamente, dizer-lhe algo neste momento. Conforme um homem evolui ao longo do caminho que está aberto diante dele, ele fica realmente sob o controle e a orientação de um grupo de adeptos, homens aperfeiçoados, mas que eram tal como o senhor é agora, há incontáveis anos atrás. Esses homens terminaram o curso de vidas a serem vividas no nível físico, pois aprenderam todas as lições que o mundo físico pode ensinar. Em virtude do seu desenvolvido amor pela humanidade como um todo, escolheram permanecer (com algum sacrifício deles próprios, como compreenderá mais tarde) relacionados com este planeta, a fim de ajudá-lo e dar assistência para seu desenvolvimento. Esses adeptos às vezes recebem o nome de mestres, porque alguns deles tomam como alunos homens que vivem no mundo e não são ainda perfeitos em nenhum sentido da palavra para ajudá-los no trabalho que tem de ser feito. Esses alunos recebem muitas oportunidades de desenvolvimento, oportunidades que não estão abertas para a humanidade em geral, mas pode estar certo de que eles conquistaram essas oportunidades. Não se trata de uma questão de favoritismo, isso de terem sido escolhidos entre a massa humana para um trabalho especial. Esse trabalho é duro, e habitualmente significa que tais homens têm de abrir mão de muitas coisas que fariam no mundo, a fim de se dedicar exclusivamente a aprender como podem ajudar a humanidade, sem receber qualquer proveito material em troca desse trabalho. É serviço altruístico que eles oferecem, e sua única recompensa é terem permissão para um contato pessoal, quando dormem e usam seus corpos astrais, com aqueles homens perfeitos que concordam em servir.

"Esses discípulos, depois de muitas vidas de trabalho e treinamento especial, preparam-se para as cerimônias de iniciação. Essas cerimônias dão-lhes poderes que os tornam diferentes da corrente comum de seres humanos. Elas ensinam um homem a ler a mente de outros homens, porque, quando um homem se desenvolveu até esse ponto, ele jamais usará tal poder para outra coisa a não ser para ajudar outro ser humano. Aprendem como ter continuidade de consciência em todos os níveis — tal como estou ensinando o senhor a ter apenas no nível astral e físico, e isso é ainda um tanto difícil de compreender. Tais homens podem, se necessário, fazer o que o mundo chama milagres, mas nunca os fazem, a não ser sob instruções de um dos adeptos que ajudam a governar o planeta. Há cinco estágios de iniciações, e só quando o quinto é atingido o homem está perfeito, e livre da necessidade de renascer no mundo físico. Às vezes, as vidas dos iniciados são prolongadas, de forma que eles vivam para muito além do período normal. Isso só é feito, entretanto, com propósitos especiais, ou porque esses homens são necessários numa região particular do mundo, para usarem uma influência que pode fazer diferença no que se refere às futuras gerações.

"Durante a cerimônia deva a que esteve presente, o senhor reparou que a jovem solista da sinfonia permaneceu no topo de uma das árvores altas, à beira da clareira, e a momento algum aproximou-se dos membros da orquestra ou desceu ao solo. Há uma razão para isso. Essas moças são especialmente treinadas para o trabalho que fazem. Vivem separadas do corpo principal do povo deva, e dedicam-se, de fato, ao seu trabalho particular. Para isso, têm de desenvolver corpos extremamente sensíveis, e mentes que se possam harmonizar com o objetivo particular que está sendo tratado. Aquela moça, por exemplo, é um ser altamente evoluído, uma iniciada em sua evolução e, assim sendo, tem conhecimento e poderes muito maiores do que o tipo comum de deva que o senhor encontrará de vez em quando.

"Houve, ainda, o sacerdote que completou a cerimônia e invocou os Seres que controlam o universo, pedindo auxílio para o trabalho realizado. Ele também é um ser altamente evoluído, mas nada próximo de um iniciado, e provavelmente nem mesmo um discípulo dos homens aperfeiçoados. Sua invocação foi a de um sacerdote, a quem ensinaram a reunir a força que foi gerada pela música concentrada e os concentrados pensamentos dos presentes, a fim de transmiti-la, através do poder do pensamento, à reunião que estava sendo levada a efeito no mundo físico. O senhor talvez não acredite que essas coisas sejam possíveis, nem há necessidade de que acredite, mas dizer que elas não podem existir é tão pouco sensato como acreditar somente porque alguém garantiu que tais e tais coisas são verdadeiras.

"Eu me alegro pela oportunidade que Daphne nos deu de ver sua pequena casa, pois sabia que a certos momentos ela não está ocupando seu aposento da Academia. Também me alegrei pelo senhor, pois viu que há muitas pessoas vivendo no vale onde está a casa de Daphne, já que desejo que conheça e converse com algumas daquelas pessoas. Sua história e os esforços que está fazendo para viver uma vida fora de seu corpo ainda vivo no mundo não só serão muito interessantes para aquelas pessoas, como também as ajudará. Algumas não são tão evoluídas quanto o senhor, e, em vidas passadas, não tiveram as oportunidades de progredir que o senhor teve, e que o levaram a receber ensinamentos especiais nesta vida. Dado que teve o privilégio de ser ensinado, deve sentir-se, também, disposto e ansioso por passar a outros o conhecimento que tem. Sua intenção de publicar os pontos essenciais das minhas conversações e de seus passeios fora do corpo físico, fazendo disso um livro, é uma boa coisa, mas só ajudará a outros que ainda vivem no mundo. O que lhe digo agora, e em nossas conversas futuras, não serão apenas para seus ouvidos, mas para os ouvidos de quem quer que esteja bastante interessado para querer entender. Quando eu lhe disser coisas que devem permanecer secretas, é apenas porque a posse desses conhecimentos tornariam outros aptos a fazer o mal, mas posso assegurar-lhe que nunca ficará em dúvida sobre esses assuntos, quando do estágio de desenvolvimento em que tal tipo de conhecimento lhe poderá ser dado.

"Isto representa o fim do seu registro cobrindo a segunda viagem astral, e eu devo felicitá-lo pelos pormenores que conseguiu reter. Sua determinação em recordar foi a razão de seu sucesso e, se ao menos compreender que a força de vontade é, amplamente, o "Abre-te Sésamo" da maioria das nossas dificuldades, continuará a ter êxito para o futuro.

"O único pormenor importante, que o senhor parece ter esquecido, e que provavelmente não compreendeu na ocasião, foi que durante a cerimônia na clareira aberta havia várias centenas de membros do reino deva, flutuando levemente — mais ou menos pairando — imediatamente acima da clareira aberta e talvez uns quinze ou vinte metros além do topo das árvores circundantes. Não eram simples espectadores, ou uma congregação, tal como as vemos nas grandes igrejas do mundo, mas, com certeza, participantes dos mais ativos da cerimônia, através de cujos esforços, principalmente, a força necessária, da qual falei, foi gerada. Seria interessante se o senhor os tivesse visto, porque repararia então que, ao fim da invocação feita pelo sacerdote de longas barbas, eles pareceram reunir a força para o bem, que havia sido gerada e, imediatamente depois, juntos, retiraram-se, presumivelmente para assegurar a obtenção dos efeitos desejados. Não deixe que esse seu lapso o aborreça de forma alguma, pois posso assegurar-lhe que se saiu realmente muito bem.

"O anseio que sentiu para tentar as coisas por si próprio, na noite seguinte, foi bastante natural, e quando surgir no futuro anseio semelhante atenda-o imediatamente. O anseio vem do ego, que é o senhor, e o ego deseja muitíssimo que progrida em conhecimentos desse gênero. As atividades em níveis mais elevados do que o físico são muito mais interessantes para um ego do que as diversões artificiais e a rotina das atividades normais, .por que temos de passar no mundo físico. O ego compreende, é natural, que nossas vidas no plano físico são necessárias para seu progresso na evolução, mas a meta da sua ambição é sempre a mesma: que, tão rapidamente quanto possível, o homem se emancipe e aprenda as lições que as nossas incontáveis existências pretendem nos ensinar. Fazendo isso, ele bem depressa estará livre da necessidade de renascer, e apto a iniciar uma existência diferente, e muito mais interessante, tal como só é possível para alguém que aprendeu todas as lições que devem ser aprendidas por meio da existência física.

"O senhor pode ver, por si próprio, quanto me é mais fácil explicar-lhe as coisas, agora, pois tem uma idéia bastante razoável da vida que as pessoas levam na primeira, segunda e terceira esferas do mundo próximo a este. A terceira esfera, conforme viu, fornece a maioria das escolas para treinamento de estudantes nas diferentes artes, e logo lhe mostrarei a quarta esfera, que é, na realidade, uma continuação da terceira. A primeira e segunda esferas formam um estágio; a terceira e a quarta são o segundo estágio; a quinta e a sexta, o terceiro estágio; e a sétima esfera é a fronteira entre os mundos astral e mental.

"Na *quarta esfera*, encontramos muitos musicistas e artistas, que trabalham sozinhos e não querem ensinar, ou talvez tenham terminado seu tempo de ensinar. Encontramos médicos realizando trabalhos de pesquisa. Muitos dos novos remédios para combater doenças e moléstias são descobertos no nível astral. Muitos grupos de estudantes de pesquisas se reúnem e trocam idéias. Embora não tenham qualquer cobaia física com que trabalhar, suas teorias, com o tempo, são aperfeiçoadas e se impregnam nas células cerebrais e nas mentes de médicos que fazem trabalho similar no mundo físico. Se indagar de qualquer médico, dedicado à pesquisa neste mundo, se ele, a qualquer tempo, já acordou pela manhã com o germe de uma idéia — que talvez tivesse exigido meses para que ele a aperfeiçoasse e pusesse em prática, mas que surge eventualmente como um dos novos avanços da ciência médica — ele irá admitir, provavelmente, que tal coisa lhe aconteceu. Há edifícios, tanto grandes como pequenos, que parecem ser o que descreveríamos como hospitais psiquiátricos. Embora a vida astral torne possível, para qualquer ser humano mental, o sentir-se completamente feliz, ainda há um grande número de pessoas que sonham com a lua e querem o impossível. Afligiram-se em vida, e o resultado habitual é uma forma de neurose mental. O corpo astral não só inclui a reprodução do cérebro humano, mas inclui, também, dentro dele próprio, um veículo mental comumente chamado mente. Um homem pode ser perturbado por sua mente depois da morte. Remorso por ações e palavras precipitadas em sua vida passada, que ele agora compreende que jamais poderão ser obliteradas inteiramente, causa-lhe certa cota de sofrimento, intenso ou não, de acordo com a sensibilidade do indivíduo. Tais casos são tratados, com freqüência, por médicos que se especializam em perturbações mentais, com grandes benefícios tanto para o médico como para o paciente.

"Nas quinta e sexta esferas, encontrará maior número ainda de pesquisadores, tais como psicanalistas, e especialistas em cérebro, coração e em outros setores da medicina.

"É muito comum que médicos e especialistas, nos diferentes ramos da ciência, vivam muitas vidas consecutivas fazendo o mesmo tipo de trabalho. Pode imaginar quanto é inestimável para esses homens o encontro com seus confrades, no nível astral, onde todo o conhecimento é reunido para o interesse da humanidade. Há grupos de filósofos que desejam ajudar o mundo a seu modo particular. Consideram que, se o rumo do pensamento, no mundo, fosse mudado para linhas mais progressistas do que as guerras e o domínio nacional, a vida seria consideravelmente mais confortável e mais desejável. Há místicos que acreditam que a humanidade pode ser melhor auxiliada pela meditação ao longo de linhas tais como 'Unidade da Vida'. Há outros seres, profundamente religiosos, que só consideram possível o progresso do homem se ele se ligar a uma crença religiosa ou a um dogma. Tais homens empenham-se em produzir uma religião perfeita, tomando pontos da doutrina de todas as religiões do passado e do presente, e fundindo-os numa nova filosofia. Os devas interessam-se muitíssimo por todo esse trabalho — tal como verá no devido tempo.

"Nesses níveis, os problemas econômicos do mundo são discutidos e trabalhados durante meses e anos. Quando certas conclusões chegam à mente desses especialistas, são tentados remédios, através da impressão dessas conclusões sobre as mentes de seres humanos, que vivem no mundo e estão em posição de colocar seus conselhos, agindo sobre nações ou sobre poderosos grupos de reformadores, porque a humanidade precisa ser auxiliada quando as crises do mundo são grandes demais e sérias demais para que eles possam resolvê-las por seus próprios esforços. Em períodos de crise, grandes líderes do mundo parecem erguer-se sobre uma culminância e brilhar. Muitas vezes, um homem que anteriormente nada mais era do que um humilde político, ou líder de partido, surge e torna-se figura proeminente no mundo político. E o resultado que todos podem observar é uma sabedoria e liderança muito acima do que normalmente se poderia esperar de sua parte. Quando a crise passa e seu grande trabalho termina, esse homem parece voltar para a obscuridade inicial. Tais homens *são* escolhidos e ajudados por um dos grandes Seres que meditam sobre este universo em benefício da humanidade. Enquanto dura o período em que ficam sob essa proteção, eles, realmente, são super-homens. Quando a crise termina, porém, essa proteção é retirada, pois todo homem tem direito a seu livre-arbítrio e só pode ser ajudado até certo ponto, jamais além.

"Naqueles níveis há homens interessados na crescente escassez de alimentos para uma população que vai subindo aos milhões todos os anos. Os devas auxiliam-nos em seus problemas, sugerindo novos métodos de cultura. Essas sugestões se introduzem nas mentes dos que vivem no mundo e são responsáveis por aqueles problemas em suas regiões particulares. Dessa maneira, novas idéias e métodos vêm à tona, e são aos poucos adotados pela humanidade. O senhor poderá assistir a algumas das conferências que têm lugar nessas esferas, e ter a prova, por si mesmo, de que aquilo que lhe digo é realmente verdade. Não é provável, contudo, que possa permanecer em tais conferências até que elas cheguem a uma conclusão, pois com freqüência elas se estendem durante semanas ou meses, calculados pela nossa idéia de tempo e, naturalmente, o senhor terá que retornar ao seu corpo algumas horas depois de o ter deixado. Grandes progressos são feitos amiúde nessas conferências, e as sugestões são levadas a pessoas que vivem no mundo, o que capacita a humanidade a avançar por todos os seus diferentes caminhos.

"Provavelmente o senhor já terá cogitado na razão pela qual o mundo progride mais rapidamente durante um século do que em outro. Não se trata do fato de as distâncias terem sido anuladas pela navegação aérea, ou de coisas tais como a telegrafia sem fio, mas, simplesmente, porque a humanidade em geral está lenta mas seguramente tornando-se mais interessada na solução dos problemas existentes, e com essas soluções a massa se beneficia. Em outras palavras, quanto mais evoluídos se vão tornando, menos e menos egoístas os homens vão ficando, o que prova que, finalmente, aprenderam algumas das lições que as vidas no mundo físico pretendem nos ensinar. É difícil explicar o trabalho do reino deva, porque os métodos usados são muito diferentes dos métodos a que estamos habituados. Para compreendê-los, é preciso recordar que o reino deva controla, em grande extensão, a parte da vida a que chamamos Natureza. Os mares, os ventos, o uso do sol nas culturas, e coisas tais como o tempo exato do ano para o plantio das diferentes sementes, tudo isso é parte do domínio particular dos devas. Eles se reúnem em discussões com membros da nossa evolução, quando seus conhecimentos e experiências específicos podem ser úteis. Habitualmente, transmitem seus pensamentos através de um processo mental, e não de palavras — mas podem usar a fala, quando lhes parece necessário usá-la. De vez em quando, no mundo, ouvimos falar em tornados, em ciclones ou terremotos, que deixam em sua esteira grande perda de vidas humanas, devastação e milhares de desabrigados. Talvez tenha então pensado: por que a Providência permite que tais coisas aconteçam? Mas o senhor procurou conhecer as possíveis razões dessas tragédias? Não é verdade que antes dessa devastação, homens e mulheres estavam vivendo naqueles lugares em condições que fomentam antes o crime do que o progresso? Uma tragédia, tal como eu a visualizo, poderia facilmente ser uma forma de acordar um governo inativo para as suas responsabilidades e, muitas vezes, um esquema de reconstrução é imediatamente iniciado, de forma que os que permaneceram vivos possam ser instalados sob condições consideravelmente mais favoráveis do que as anteriores. Os devas controlam esses ciclones e terremotos, e eu sei, por experiência própria, que sua compaixão por um gênero humano que, através de sua cegueira, torna tais desastres necessários, é realmente grande. Eles designam elevado número de sua gente para ir ao encontro dos infelizes que perdem suas vidas nesses desastres quando passam para o mundo astral, e fazem tudo quanto podem para acalmar seu medo e ajudá-los a se aclimatarem às suas novas condições. O mesmo acontece quando há guerras, e inúmeras almas são arrancadas de seus corpos pelas armas modernas. O número de ajudantes astrais da nossa evolução é insuficiente para enfrentar a taxa de mortalidade que acompanha um exército em avanço contra pesada oposição, de forma que os membros da evolução deva tomam seus lugares, lado a lado com os homens, a fim de fazerem o possível para ajudar os muitos que estão aterrorizados no momento da passagem. É verdade, realmente, que há momentos em que homens e anjos (devas) caminham unidos, cada qual servindo a Deus com o máximo de seu ser.

"Devo falar-lhe agora um pouquinho sobre a vida que é vivida na *sétima e última esfera* do mundo astral. A primeira coisa que o impressiona, quando visita esse lugar, é a completa ausência de qualquer espécie de edifício. Não há, absolutamente, qualquer sinal de habitação humana, mas descobrirá que há residentes permanentes vivendo nesse nível, embora façam tudo quanto podem para desencorajar o contato quando os humanos se aproximam. Tais homens são do parecer que seu progresso na evolução só pode ser realizado mediante um recolhimento completo, pela reclusão e por uma vida de silêncio. No mundo físico foram santos, e viveram separados do gênero humano, em lugares fora dos caminhos, na raiz ou no topo de solitárias montanhas, onde os humanos raramente penetram. Esses homens passaram toda a sua vida em meditação, jejuando e vivendo o que o mundo descreve como existência ascética. Eles continuam a ser os mesmos, depois da morte, e, no devido tempo, fazem seu caminho até a sétima esfera do mundo astral, onde continuam sua vida de meditação. Encontrará homens que durante a vida terrena foram monges ou frades, membros de congregações que impunham silêncio absoluto e uma vida à parte dos outros seres humanos normais. Esses homens habituaram-se de tal maneira a viver dentro de si mesmos, orando durante longos períodos pelo progresso da humanidade, que depois da morte encontram consolo na continuação da mesma existência que tiveram durante muitos anos sobre a Terra. No nível astral não há necessidade de que essas pessoas procurem uma caverna ou construam casas onde possam viver. Nem alimento nem acomodação são necessários à sua existência, porque vivem ao ar livre, habitualmente em bosques ou em lugares retirados, onde podem mais provavelmente estar a sós, sem serem perturbados.

"Além dos humanos que vivem nesse nível, encontrará ali um número incontável de membros altamente evoluídos do reino deva, que trabalham mas não têm contato algum com os membros da nossa evolução.

"Também encontrará seres humanos cuja estadia no nível astral terminou, e que devem passar pela sétima esfera a fim de alcançar o mundo mental, através do qual passam, em sua viagem de volta, à parte mais alta de si mesmos, o ego, que tem seu hábitat natural nas mais altas esferas do mundo mental — o chamado nível causal. Esses humanos são habitualmente acompanhados até a sétima esfera por guias, homens como eles, porém mais evoluídos e almas mais velhas. O trabalho particular desses guias é explicar, com pormenores, o que representa "a segunda morte". A passagem do mundo astral para o mundo mental é inteiramente indolor. Trata-se, apenas, de deixar cair outro envoltório. O guia trata de erradicar qualquer receio que possa surgir nas mentes dessas pessoas porque, embora todos já tenhamos feito a mesma viagem muitas vezes, depois de completada cada encarnação física, não nos recordamos das viagens anteriores, porque para cada nova encarnação física temos novos corpos, mental, astral e físico, que não levam com eles lembranças detalhadas das vidas anteriores. A passagem do mundo astral para o mundo mental é algo que fica fora do controle do indivíduo médio e, quando chega essa ocasião, ele é forçado a deixar seu corpo astral pela simples razão de que não tem mais experiências a ganhar nesse nível. Deve, então, passar para o mundo mental, a fim de consolidar o trabalho mental que realizou durante sua existência física e aumentar seu reservatório de conhecimentos, contido dentro do átomo permanente que representa todas as suas existências físicas. Tendo recebido todas as informações necessárias que lhe podem ser dadas sobre o problema de sua passagem, o homem vai aos poucos adormecendo e acorda quase que imediatamente no mundo mental, tendo, durante esse breve período de sono, se descartado para sempre de seu corpo astral. Amigos o esperam no mundo mental, exatamente da mesma maneira com que foi esperado na passagem do mundo físico para o mundo astral. Começa um tipo de vida inteiramente novo, que, no caso do homem comum, é habitualmente muito mais curta do que a vida que teve no mundo astral, embora sua duração seja mais longa para os homens evoluídos.

"O corpo astral, deixado para trás pelo indivíduo que passou, leva algum tempo para se desintegrar e retornar à massa geral da matéria astral. Durante o período da desintegração, o corpo retém uma parecença com a pessoa que anteriormente o ocupou. O senhor precisa compreender que se trata apenas de uma casca; contudo, possuindo a natureza fluídica da matéria astral, pode mover-se por ali e, para uma pessoa inexperiente, parece conservar uma aparência de vida. Vi pessoas que tinham visitado a sétima esfera durante sua existência no plano físico ficarem confusas ao perceber que não podiam conversar com algumas daquelas cascas que encontravam a flutuar. Uma casca não é um cadáver, porque, embora não tenha qualquer ligação com o homem real, isto é, com o ego que o despiu, ainda assim contém um pouquinho de vida. Realmente, até que a desintegração se complete, a casca deve pensar em si mesma como num homem, pois é um fragmento, uma sombra do homem que se foi. Nas sessões espiritistas, vemos às vezes manifestações de vários tipos, quando os que ali estão, em lugar de fazerem contato com o próprio homem, apenas têm contato com a casca. E isso pode acontecer quando o homem de há muito está morto. Assim, um amigo ou irmã parece voltar, e fala com os presentes, sem, contudo, e sob vários aspectos, parecer tão intelectual quanto foi. Parece haver degenerado. Isso é impossível: um homem não degenera, antes progride do outro lado da morte, de sorte que quando quer que se entre em contato com um caso assim podemos estar certos de que ali não está o homem real, absolutamente, mas apenas aquele fragmento, aquela casca que ele deixou para trás. Embora uma casca seja inanimada, é bastante possível que outras criaturas entrem nela, tomando-a como um corpo temporário e fazendo o papel do homem anterior. Isso acontece com freqüência com os seres humanos astrais, que gostam de fazer pilhérias, e por espíritos de natureza brincalhona, que podem apoderar-se de uma dessas cascas, vesti-las como se veste um sobretudo, e fazer disso uma espécie de baile de máscaras. O homem que se mascarou dentro da casca, com toda a certeza, dará "provas" de sua identidade, pois o que quer que entre no cérebro do ocupante anterior, durante sua existência, terá passado para a sua reprodução astral, e permanecerá ali para uso de qualquer entidade que se mascare com aquele corpo. Em muitos casos, uma certeza pode ser adquirida por um pesquisador com clarividência suficiente para ver o que há atrás da casca; mas quem estiver pesquisando deve usar de muita cautela, pois mesmo uma casca, de onde os fragmentos de um homem desapareceram, pode ser galvanizada para a atividade, dentro da aura de um médium. O senhor poderá entrar em contato com cascas, algum dia, no futuro. De uma coisa pode estar certo: elas não são de modo algum perigosas, e não lhe poderão fazer qualquer mal.

"Isso conclui minha conversa, por hoje. O senhor compreendeu, sem dúvida, que ela completa o resumo de meu levantamento sobre a vida nas diferentes esferas do mundo que se segue a este. Quero que prepare uma lista de perguntas para que eu responda amanhã pela manhã. Depois disso, quando tiver passado vários dias fazendo experiências por sua própria conta, eu virei novamente visitá-lo e dizer-lhe algo sobre a vida, tal como é vivida no mundo mental. Não terei condições de lhe dar sobre esse mundo tantos pormenores como me foi possível dar-lhe sobre o mundo astral, porque é muito mais difícil fornecer analogias quanto ao que se passa no mundo mental para compará-las com coisas similares que têm lugar no mundo físico. A vida, ali, é muito diferente da que temos aqui, pois tudo tem a ver com o *pensamento*. Aqui temos mesas, cadeiras e edifícios. No mundo astral os pensamentos são mesas, cadeiras e edifícios — na realidade ali nada existe a não ser pensamento — de forma que o senhor pode muito bem compreender minha dificuldade. Provavelmente, irei levá-lo a fazer uma curta visita também ao plano mental, na esperança de que seja capaz de recordar algo do que tiver *percebido*, mais do que *visto* ali; porém, no futuro falarei um pouco mais sobre isso.

"Voltarei novamente amanhã, à hora de costume, e espero, então que sua lista de perguntas esteja pronta."

Capítulo 9

Tive uma noite de sono maravilhosa. Acordei esta manhã à hora habitual, muito repousado, mas sem lembrança alguma do que acontecera na noite anterior. Minha lista de perguntas está pronta, e espero que Acharya não a julgue demasiado longa.

Estava lendo minhas perguntas quando a porta se abriu e Acharya cumprimentou-me, dizendo: "Não precisa se desculpar pela quantidade de perguntas que fez. Não o animei a fazer perguntas regularmente, porque sabia que muita coisa se tornaria clara para o senhor através das experiências pessoais no nível astral. E excesso de interrupções não ajudam a quem fala, nem a quem ouve. Farei o que puder, da melhor maneira que puder para responder suas perguntas em linguagem que esclareça as suas dificuldades."

P. — Em suas palestras, o senhor jamais mencionou algo sobre o Céu convencional, o Céu ao qual a grande massa de cristãos aspira. Esse lugar existe ou está apenas na imaginação dos padres e ministros da religião, que insistem em sua existência?

A. — Não há, certamente, um lugar como o Céu, mas há um estado de consciência que é, muitas vezes, classificado como céu pelas pessoas que vivem em tais condições. Algumas pessoas argumentam que o estado de consciência é encontrado nos estágios mais altos do mundo astral, enquanto outras insistem que tal coisa existe apenas no plano mental. Outras pessoas argumentam que há uma diferença entre o que é chamado Paraíso e o que é chamado Céu. Deve lembrar-se de que Cristo, falando com o ladrão arrependido, disse, ao que se conta: "Ainda hoje estarás comigo no Paraíso." Paraíso era o nome que os gregos davam às regiões mais altas no plano astral. E ensinavam que o Céu era encontrado no mundo mental, depois que o homem tinha deixado o mundo astral, em sua viagem de volta para o lar da alma, ou ego. Nesses altos níveis, alguns homens se rodeiam com as formas-pensamento; de Serafins e Querubins em estrita concordância com as antigas escrituras dos hebreus. Isso é perfeitamente real para eles e não faz mal a ninguém. Se estão contentes por pensar que há realidade nisso, por que afligi-los? Muitos deles chegam a fazer formas-pensamento de Deus ou de São Pedro, e nada do que lhes pudessem dizer os convenceria de que estão vivendo num estado de ilusão. Chegará um dia em que terão de desenvolver seu intelecto um pouco mais, e então irão começar a tentar certificar-se do que é fato e do que é ilusão.

"Reparo que, embora tenha indagado sobre o Céu convencional, o senhor não mencionou o Inferno convencional. Isso existe tanto quanto o Céu, mas não costumamos encontrar pessoas, no mundo astral, fazendo formas-pensamento de um Inferno convencional e vivendo sob tais condições, pois ninguém faz tanta autocrítica a ponto de chegar a ter certeza de que o Inferno é o lugar que merece. A maioria das pessoas que vivem rodeadas pelas formas-pensamento de sua idéia de um Céu convencional sentem-se muitíssimo felizes por existirem em tais circunstâncias, pois acham que mereceram o direito de estar ali, ou que foram extremamente afortunadas por viverem num lugar para o qual não têm muita certeza de estarem qualificadas. Um céu convencional, criado por pessoas que vivem no nível mental, é bastante diferente — embora sirva para o mesmo propósito no que diz respeito às pessoas que com ele se relacionam."

P. — O senhor disse, em sua última palestra, que explicaria a diferença existente entre a vida animal no mundo astral e a vida ali vivida por um ser humano. Qual é a diferença?

A. — Há uma diferença considerável entre a vida de um animal no mundo astral e a de um ser humano. No caso do primeiro, dificilmente ele habita esferas daquele mundo mais altas do que a terceira, porque a vida que um homem leva nas esferas mais altas tem pouco interesse para um animal, e só em casos excepcionais um ser humano leva consigo um animal predileto quando passa para esferas mais altas. Um animal tem, isso é certo, uma curta estadia no nível astral, depois de cada vida física que viveu, mas, habitualmente, tal vida não dura mais do que de dez a quinze anos, no máximo. Quando chega a ocasião em que uma alma grupal, à qual o animal pertence, reencarna em novos corpos de animais, as entidades animais que estavam vivendo existências separadas no nível astral são de novo atraídas para a alma grupal, e suas identidades separadas deixam de existir. A alma grupal, quando suas várias partes retornam a ela, é colorida pela experiência dessas várias partes, e a força da vida de que cada grupo é feito torna a dividir-se em seções, cada seção habitando uma nova entidade animal, em cujos novos corpos adquirem-se novas experiências. Conforme já lhe expliquei, isso tem continuação até que a alma grupal esteja pronta para se individualizar como ser humano.

"Esses poucos anos que um animal passa no mundo astral são sempre felizes — mesmo nos raros casos em que um cão morre de tristeza pelo fato de ter sido abandonado pelo dono ou deixado com estranhos quando esse dono se viu forçado a fazer uma longa viagem. Um animal assim consegue depressa um novo lar. No mundo astral nunca se vê um cão a pedir comida, ao passo que, como aliás o senhor mesmo pôde observar, há muitos humanos que continuam a comer e a beber depois da morte, apenas por terem adquirido esse hábito. Um cão ou um gato só comem quando têm fome, e raramente por avidez. Como no plano astral eles não têm fome, nunca pedem alimento. Um cão de caça foi treinado, durante a vida, para caçar. Depois da morte continua a fazer o mesmo. Seu instinto é procurar a presa e, sendo essa procura, por si só, um pensamento, a caça imediatamente aparece e o cão mais que depressa se põe a caçá-la. Se chega ou não a alcançá-la, não tem muita importância pois a caça não passa de uma forma-pensamento e não pode ser morta no sentido comum da palavra. Contudo, o cão diverte-se com a corrida e sua vida continua a ser feliz.

"O cavalo que durante a existência foi animal favorito de um apreciador de cavalos, depressa encontra um novo dono com amor idêntico pela sua raça, e a mesma rotina continua para benefício e prazer tanto do cavalo como do cavaleiro. Em alguns casos, depois que o animal favorito morre, seu dono pensa muitíssimo nele ao adormecer. O animal sente 'o chamado', e às vezes consegue ter contato com seu antigo dono e passa algumas horas em sua companhia. Infelizmente, isso não é desejável, porque o cavalo ou o cão sentem a perda de seu dono, quando esse dono retorna a seu corpo físico, depois que se completa o período de sono. É mais bondoso, portanto, permitir que eles se apeguem a seus novos donos ou donas. Há casos raros em que a afeição entre um ser humano e seu animal de estimação é tão forte, que a alma grupal da qual o animal faz parte fica, a seu modo, ligada a esse ser humano. Isso só pode acontecer quando se aproxima o fim do período da alma grupal, quando ela está dividida apenas em duas partes, à espera do tempo em que se deve individualizar como ser humano. Tendo o ser humano feito tanto por essa alma grupal, ajudando-a a erradicar os últimos vestígios de medo nos animais a ele ligados, toda a alma grupal, composta de dois cães ou de dois gatos, por exemplo, tem duas ou três vidas consecutivas na mesma casa. Dessa maneira, o prazo em que deve ocorrer a individualização é consideravelmente encurtado. Eu poderia falar-lhe de exemplos autênticos desse fato, mas meu tempo é limitado.

"O período que um animal passa no mundo astral é demasiado curto para que as condições que ali prevalecem possam influenciar profundamente a evolução da alma grupal; portanto, quando esse período termina, os animais desaparecem dos lares aos quais se haviam ligado, para retornar às suas almas grupais, a fim de terem novas encarnações no mundo físico, onde adquirem mais experiência."

P. — Por que Charles não veio ter conosco quando de nossa segunda viagem astral? Não está mais interessado em mim, dado que tem uma vida nova tão diferente e mais eletrizante do que a física, ou não pode se reunir a nós sem assistência?

A. — Agrada-me muito que tenha levantado essas questões, pois, embora me tome algum tempo para lhe responder o que deseja saber, é muitíssimo necessário que se esclareça o porquê de as oportunidades de movimento astral variarem para visitantes temporários e para residentes permanentes. Enquanto a vida física continua, o corpo astral é um corpo auxiliar, mas é usado por nós durante nossas horas de sono, para atividades no mundo astral. Esse corpo, composto de matéria astral, tem partículas que se relacionam com todas as diferentes esferas do mundo astral e, enquanto temos nosso corpo físico, essas partículas se acham misturadas umas às outras. Podemos viajar por qualquer esfera do mundo astral, para cima e para baixo, apenas exercendo nossa força de vontade e, de acordo com a esfera a que pretendemos ir, essas partículas do nosso corpo astral se tornam ativas e tornam possível a viagem desejada. Para tornar isso perfeitamente claro, quando estamos estagiando na primeira esfera, nessa ocasião as partículas referentes a essa esfera estão em atividade; mas quando se passa, por exemplo, da primeira esfera para a quarta, isso significa que as partículas da quarta esfera se tornam ativas, ao passo que as partículas relacionadas com as outras esferas continuam adormecidas, enquanto nossas atividades se exercerem na quarta esfera.

"Enquanto temos o corpo físico, esse processo continua; mas quando o corpo físico, no momento da morte, é largado, o corpo astral, que era antes massa de partículas em movimento, todas interligadas, se reorganiza de forma completamente diversa. Para que o senhor compreenda isso perfeitamente, tente visualizar o corpo astral, depois da morte, como um ovóide, semelhante a uma laranja, dotada de um núcleo envolto em sete peles separadas e distintas. O núcleo representa o átomo permanente que se relaciona com todas as diferentes esferas, tanto do mundo astral como do mundo mental. As sete peles são compostas de matéria relativa às sete diferentes esferas que existem no nível astral, das quais o senhor conhece algo. No momento da morte, o corpo astral acomoda a matéria da qual é composto, de forma que a pele externa, ou mais densa, é feita de átomos semelhantes aos necessários para que se possa funcionar na primeira esfera, a mais densa daquele mundo. Quando, após um período de tempo, deixamos a primeira esfera e passamos à segunda, descartamos a pele externa, e ficam os átomos relativos à segunda esfera daquele mundo; esses átomos então se tornam ativos, na parte externa de nosso corpo. O mesmo acontece quando passamos para as esferas mais altas. Ao passar, deixamos a pele externa, que estivemos usando, e ficamos com a que estava imediatamente abaixo, e que se torna de pronto ativa e nos capacita a estar amplamente conscientes na esfera para a qual passamos. Se desejarmos passar novamente para uma esfera mais baixa, digamos que da quarta para a primeira esfera, é necessário — para o residente permanente — apelar para os átomos contidos dentro do núcleo da laranja — o átomo permanente — a fim de efetuar a mudança. Isso requer esforço de vontade muito maior do que aquele que se exige do residente temporário, pois que ele deve atrair de novo para seu corpo astral uma nova pele, relativa à matéria astral em cuja esfera deseja funcionar.

"Charles não nos acompanhou em nossa segunda viagem astral porque eu não o convidei; ele não sabia, portanto, que essa viagem estava programada. O senhor pode compreender agora que, se eu tivesse levado Charles em nossa viagem, seria necessário que eu lhe explicasse, com pormenores, o mecanismo que devia ser empregado para capacitá-lo a regressar à primeira esfera onde ainda está vivendo. Não é porque Charles esteja considerando a vida no nível astral muito cheia de ocupações que o senhor não o tem visto nestes últimos dias, mas simplesmente porque o indivíduo comum, que vive no mundo astral, não anseia por contatos com as pessoas que vivem em nosso mundo, da mesma maneira pela qual o senhor desejou ter contato com Charles imediatamente depois de sua morte. O senhor pergunta se Charles poderia reunir-se a nós sem assistência, e é mais do que certo que poderia, contanto que pensasse nisso com firmeza suficiente para que seu desejo fosse conhecido por nós. Ele poderia, por exemplo, esperar em seu quarto todas as noites, se quisesse, pelo momento em que o senhor deixa seu corpo físico. Então, poderia dizer-lhe do seu desejo de o acompanhar onde quer que fosse. Charles não mostrou uma firme tendência nesse sentido e por isso o senhor não teve contato com ele, ultimamente. Caso isso o preocupe, deixe-me assegurar-lhe que Charles, no momento, está ocupado com uma temporária atração por uma integrante do sexo oposto que morreu recentemente. Sente-se muito feliz ao servir-lhe de guia, dando-lhe provas de tudo o que sabe a respeito das condições a que presentemente ela chegou. Minha sugestão ao senhor é que o deixe em paz por enquanto, pois penso que mais tarde irá ligar-se de novo com Charles, para benefício mútuo."

P. — O senhor não mencionou por que certas pessoas nascem defeituosas e outras cegas. Ainda há os surdos-mudos. Há alguma razão para isso?

A. — Há por certo uma razão, e os poucos comentários que fiz sobre a lei do carma, ou da causa e efeito, deveriam ter respondido a essa pergunta. É essencial que o senhor se convença, com bastante clareza, de que todas essas tragédias são produzidas apenas pelo indivíduo a elas relacionado, através de suas ações em vidas passadas. Uma criança nasce defeituosa, às vezes, porque numa vida passada causou sofrimento extremo a um ser humano ou a um animal. Um homem pode, numa cólera produzida por embriaguez, bater tão cruelmente numa criança que as pancadas produzam uma deformidade física que a ciência médica não pode curar. Isso, indubitavelmente, fará com que esse homem nasça defeituoso na próxima vida, e seja forçado a sofrer da mesma maneira. As pessoas às vezes nascem surdas e mudas porque, numa vida anterior, tiveram a infelicidade de serem pais de uma criança surda-muda e, em lugar de tornar felizes as condições da família para essa criança, mostraram desapontamento por ter um filho anormal, culpando disso a pobre criatura, que não se podia defender, fazendo portanto a vida da criança muito pior do que seria necessário que fosse. Mesmo pessoas evoluídas, que sabem a razão pela qual crianças nascem defeituosas ou anormais em qualquer sentido, às vezes deixam de compreender que ter filhos anormais é uma oportunidade inexcedivelmente boa para os pais produzirem bom carma, tratando esses filhos com benevolência e compreensão. Pode argumentar que a justiça hoje é muito diferente da do passado, mas as ações imprudentes das nossas vidas passadas devem ser pagas, mesmo que nessas passadas encarnações o homem fosse menos sensível à dor do que o é hoje, e se habituasse a um tratamento muito mais rude. Não se esqueça de que é a *intenção* que decide sobre a quantidade de sofrimento.

"Conseqüências cármicas semelhantes seguem-se à crueldade emocional e mental. Muito freqüentemente se vê uma mãe, viúva, colocando obstáculos ao casamento de um filho, apenas porque deseja, egoisticamente, manter o rapaz no círculo da família. A mãe argumenta que o casamento seria inconveniente pela diminuição da renda familiar, ou que ela é frágil demais para ficar sozinha, e assim o rapaz, levado pelo senso do dever, abandona a oportunidade de fazer um casamento feliz e, despido de egoísmo, dedica sua vida a cuidar da mãe egoísta. Nem sempre ele compreende que a mãe está sendo egoísta, embora o fato seja claro para toda gente. O resultado cármico desse egoísmo é que só se pode considerar como justo o fato de, numa vida futura, essa mulher se apaixonar por alguém e esse alguém vir a morrer, ou a ser morto, antes que o casamento se realize. Depois de muitos anos, recuperando-se dessa perda, essa mulher encontra outra pessoa que se apaixona por ela. Parece não haver razões para que as coisas não corram bem, nessa ocasião, mas o Destino de novo dá uma cartada no jogo da vida: ambos contraem uma doença incurável impossibilitando o casamento em questão. Como as pessoas não sabem por que tais coisas sucedem, inclinam-se a pensar que a criatura visada está servindo de brinquedo nas mãos de um Criador sem bondade; mas esse não é o caso, porque não podemos sofrer de forma alguma, a não ser que tenhamos produzido uma causa para esse sofrimento."

P. — Por que certas pessoas nascem sob "boa estrela", com muito dinheiro, boa saúde, e todas as vantagens aparentes, quando outras nascem em favelas, sem qualquer vantagem natural, e muitas vezes com doenças herdadas de seus pais?

A. — O ambiente em que cada ser humano nasce é feito por ele próprio, numa encarnação anterior, também de acordo com a lei do carma. Quando um homem nasce com o que o senhor chama de "boa estrela", com muito dinheiro e saúde perfeita, o mundo acha, naturalmente, que ele foi abençoado pela Divina Providência. Mas essa oportunidade de uma vida suave está apenas de acordo com aquele que a merece. O homem que nasce em favelas, com muitas limitações, e talvez com moléstias hereditárias, é considerado sem sorte, mas eu lhe posso assegurar que também ele ganhou o que merece. Para encontrar um exemplo quanto a um homem que ganhou o direito de nascer "com uma colher de prata na boca", basta que olhe entre as pessoas pobres do mundo, e vai encontrar esse exemplo. Quantas vezes o senhor viu mostras de generosidade por parte de uma pessoa que não foi abençoada com muitos dos bens deste mundo, mas que, apesar disso, se dá ao trabalho de prestar assistência aos ainda menos afortunados? Essa pessoa, em geral, é explorada por indivíduos sem escrúpulos. Ações generosas, como as que tais pessoas realizam, ganham para elas o direito de nascer em circunstâncias muito diferentes, quando de futuras existências, e raramente elas perdem a oportunidade que uma grande fortuna propicia, porque continuam a ajudar o próximo como fizeram no passado, com benefício para elas próprias e para o mundo. Se essas oportunidades forem desperdiçadas, então o homem produz mau carma, em lugar de bom, e teria sido melhor para ele nascer em circunstâncias menos favoráveis, do ponto de vista terreno.

"Não é, necessariamente, uma grande falta de sorte um homem nascer em circunstâncias humildes. Em tais casos, ele tem oportunidades de ultrapassar as limitações de seu ambiente, através dos próprios esforços. Vemos, amiúde, tais homens dominarem os obstáculos de seu nascimento e conseguirem êxito, chegando a tomar o lugar de líderes de sua geração. É preciso ter coragem para fazer isso; contudo, os esforços feitos não só melhoram o caráter do homem, mas o capacitam a produzir muito bom carma nessa encarnação. Seus esforços e sua recusa a se inibir por essas limitações naturais garantirão, habitualmente, na vida que se seguir, um ambiente muito mais favorável."

P. — Pode explicar por que algumas raças nascem com a pele escura e outras com a pele branca? Um homem de pele branca é sempre mais evoluído do que um homem de pele escura? É boa coisa o casamento entre indivíduos de raças diferentes? Um homem branco torna a nascer numa raça escura, tendo antes habitado um corpo branco?

A. — Do ponto de vista espiritual, não há razão para supor que a pele branca seja necessariamente melhor do que a pele escura. A cor da pele de um homem não denota sua posição na escala evolutiva, e é quase sempre devida ao clima que prevalece no país onde ele nasce. A questão da nação de nascimento é habitualmente decidida para o homem embora o ego tenha certa possibilidade de escolha. Antes que se inicie o retorno à vida física, o ego vê quais as características especiais de que carece e, tendo cada nação suas características próprias, expressadas por praticamente todos os seus membros, um ego nasce, amiúde, como filho de uma família que faz parte da nação de cujas virtudes predominantes e características esse ego carece, a fim de que elas possam ser incorporadas à sua estrutura futura.

"Há muitos milhares de anos, as partes deste planeta habitadas por homens eram as regiões onde agora encontramos povos indígenas de pele escura. Embora a Austrália seja hoje um país de homens brancos, os aborígines da Austrália eram negros. Na África do Sul, os habitantes primitivos eram pessoas de pele escura e apesar de haver ainda grande número de pessoas de pele escura vivas, a África do Sul de hoje é controlada pelos brancos. Todos nós, em nossas mais antigas encarnações, ocupamos corpos de pele escura. Com o progresso das civilizações, os países agora conhecidos como Ocidente foram sendo habitados, e para que essas regiões se desenvolvessem tão rapidamente quanto possível, os homens perfeitos, que supervisionam a ascensão e declínio das nações, trataram de fazer com que alguns dos egos mais avançados do mundo nascessem como filhos dos pioneiros, que foram os primeiros habitantes dos povos ocidentais. Sendo o clima desses países geralmente muito mais frio do que o dos países do Oriente, o sol teve menor efeito sobre as peles daqueles indivíduos, e o resultado foi o surgimento da raça branca. O progresso, hoje, emana, em sua maior parte, das nações ocidentais e, por causa disso, é desejável que os homens mais experientes do mundo, as almas velhas, nasçam em corpos ocidentais. A Grã-Bretanha foi uma nação líder em todo o século passado, ou mais; por isso, recebeu a devida cota de egos adiantados; mas agora a América está tomando a si a responsabilidade dessa difícil posição. Não é o acaso, certamente, o que decide se um homem deve nascer inglês, americano do norte, alemão ou chinês.

"Deve ser óbvio para o senhor que *todos* os homens de pele branca não são mais evoluídos do que *todos* os homens de pele escura. Cada nação do mundo requer certo número de egos evoluídos e experientes para liderá-la e ajudar seu progresso na evolução, de forma que sempre nasce certo número de almas velhas em *cada* nação. Não quero dizer com isso que as almas velhas tenham de nascer sempre em corpos que conhecemos como de aborígines da Austrália. Isso seria impossível, porque esses aborígines não constituem uma nação, mas uma raça que está morrendo e, assim, as únicas entidades que habitam esses *corpos* são as que foram, originalmente, membros dessa raça, que não haviam progredido tão depressa ou tanto quanto os outros membros originais da mesma, que haviam passado para outras raças há já muito tempo. Ponha a Índia em confronto com isso: naquele país, o senhor encontra milhões de seres não evoluídos, mas encontra também grande número de intelectuais, e muito homens extremamente espiritualizados. A Índia sempre foi um país muito preocupado com seu desenvolvimento espiritual. Acredite: esse país tem uma cultura antiga, com um papel muito importante no que diz respeito ao progresso do mundo nos séculos vindouros. É necessário, obviamente, que uma região assim dê nascimento a egos capazes de guiar o futuro de seus incontáveis milhões, de forma que, em anos futuros, ela possa desempenhar a parte que lhe está destinada.

"Quanto a saber se indivíduos de raças diferentes devem casar-se, esta é uma questão de solução difícil. Às vezes pode acontecer que pessoas nascidas em nações diferentes tenham estado vinculadas uma à outra em vidas passadas, através do casamento, por exemplo. Quando essas pessoas se encontram nesta vida, como membros de nações diferentes, a atração que os reuniu no passado pode ser ainda tão forte quanto antes foi. Em alguns casos pode ser vantajoso para tais pessoas um novo casamento. Só investigando as experiências passadas de cada um seria possível dar uma opinião válida. Acho que não é muito para se desejar que um homem branco case com uma mulher de cor, ou vice-versa, porque os hábitos e cultura das diferentes raças não se mesclam bem. Esses casamentos, portanto, não trazem vantagem para qualquer dos cônjuges. O resultado podem ser filhos mestiços, que vêm a sofrer por isso.

"Um homem nascido num corpo branco não retornará à Terra, necessariamente, como membro da população branca, em sua próxima encarnação. Isso também é uma questão de carma e de muitas outras circunstâncias, de modo que não se pode dar uma resposta generalizada a uma pergunta desse tipo. No caso do homem branco que, por sentimento de superioridade, explora outros membros da raça humana apenas porque essas pessoas têm a pele escura, a lei de causa e efeito entrará em ação. Provavelmente esse homem será forçado a nascer numa raça de cor em sua próxima encarnação, de forma que possa aprender as lições de tolerância e compreensão, sentimentos dos quais evidentemente carecerá numa existência ulterior."

P. — O senhor não falou no que sucede a uma pessoa que comete o suicídio. Esse ato é um grande crime?

A. — Tirar a vida de si próprio não é apenas um crime, mas um ato extremamente insensato. Não resolvemos nossas dificuldades fugindo delas. Isso apenas irá adiar-lhes a solução para uma vida futura. Alguém poderia argumentar que as circunstâncias que tem de enfrentar são motivos para o suicídio; contudo, essas circunstâncias foram julgadas necessárias para seu progresso na evolução, e ele terá que passar por elas, mais cedo ou mais tarde. Do mesmo modo pelo qual uma criança que falta à escola repetirá o ano escolar até que compreenda que, para se qualificar num nível superior, deve conseguir pelo menos um mínimo de média em todas as disciplinas, o homem que comete suicídio tem de voltar ao mundo. Em sua próxima vida, uma série de circunstâncias se juntarão de novo, para formar os mesmos obstáculos e dificuldades de que desejou escapar. Deve, então, enfrentá-las e dominá-las, pois, se fugir mais uma vez, estará apenas retardando sua própria evolução e, enquanto não fizer face a esses obstáculos, ultrapassando-os e aprendendo as lições que eles pretendem ensinar, esse homem nunca será capaz de dar mais um passo sequer no caminho que leva à perfeição. Habitualmente, ao gesto suicida segue-se um remorso extremo e, dentro de um espaço de tempo muito curto, depois de sua chegada ao mundo astral, a maioria dos suicidas daria qualquer coisa para anular o ato impensado. Infelizmente, eles não podem voltar, mas devem aguardar até que chegue a época de sua próxima encarnação. E não lhes deixam quaisquer dúvidas de que em sua próxima existência terão de enfrentar de novo as mesmas dificuldades.

"Pelo fato de um homem sofrer tanto pelo remorso, e porque daria tudo para voltar a seu corpo físico, mesmo que fosse para fazer face às conseqüências, ele muitas vezes se recusa ao esforço de vontade necessário para se livrar de seu veículo etérico, que, como o senhor se deve lembrar, enrola-se em torno do corpo astral no momento da morte. Por causa desse veículo etérico pendente dele, esse homem se torna o que é conhecido como "ligado à terra", por tanto tempo quanto dure sua obstinação em não se livrar dele. Sendo um suicida, ele não recebe o mesmo auxílio afetuoso dos ajudantes astrais, auxílio que, como o senhor viu, é altruisticamente dado a todos os que passam para o próximo mundo de maneira normal. Desse modo, ele pode permanecer "ligado à terra" pela ignorância, sendo incapaz de funcionar apropriadamente em qualquer desses mundos, o físico e o astral, e sentindo a profunda solidão que essas circunstâncias propiciam. Depois de um período de tempo que lhe parece uma eternidade, através de uma mudança ocorrida em sua mente, atrairá para si alguém que o auxilie, depois do que pode começar a viver sob condições astrais.

"As condições excessivamente desagradáveis existentes nessa região de ninguém, tornam às vezes um homem tão amargo contra seu Criador e a humanidade em geral, que ele passa a perambular pelo lugar onde tirou a própria vida, tentando influenciar outras pessoas a fazerem o mesmo. A razão desse comportamento é a terrível solidão de seu estado presente. Esse homem sente que, se puder persuadir outros a fazerem o que ele fez, não ficará inteiramente só em sua angústia. Em raras ocasiões ele consegue êxito nesse seu esforço, e o resultado cármico desse ato significa que ele terá que sofrer imensamente em sua próxima existência. Suicídio *nunca* é uma libertação, mas apenas um adiamento, e não há circunstâncias no mundo que sejam tão más a ponto de levarem um homem a recorrer a esse método para escapar de tais circunstâncias."

P. — Se há um deus ou uma deidade controlando nossas vidas, porque ele permite as guerras, particularmente quando a maioria dos seres humanos deseja a paz?

A. — Por que o senhor sugere que as guerras são feitas, ou permitidas, por um Criador? As guerras, de modo definitivo, são o resultado das ações do homem e de suas tendências agressivas. Haverá guerras enquanto houver nações separadas no mundo, e enquanto algumas nações desejarem governar para explorar outras nações. Há um carma nacional, tal como há um carma individual, e os grupos de pessoas que se têm agrupados como nação específica, interferindo na vida de outra nação, devem suportar as conseqüências dessas ações, tenham sido elas boas ou más. Em muitos casos, uma nação argumentará que tem as melhores intenções para com os povos que conquistou; mas a história quase sempre é prova de que uma nação conquistada nunca se acomoda sob o tacão de um conquistador, nem pode evoluir tão depressa como se fosse deixada em paz para trabalhar pela sua própria salvação.

"Guerras engendram guerras, e isso será assim até que a humanidade compreenda que todos os membros da raça humana são membros da mesma família e devem ser tratados com solidariedade e compreensão, recebendo auxílio como a coisa mais natural do mundo. No devido tempo, não haverá mais nações separadas, porque todos os homens viverão juntos, em harmonia, cada grupo permutando com o outro as coisas de sua especialidade, o mesmo acontecendo com os artigos manufaturados que seu treinamento permitiu aperfeiçoar. A essa altura, as diversas nações serão simples estados de uma nação mundial, e homens sábios, retirados de cada grupo, governarão e legislarão para o bem de todos. É verdade que a grande maioria dos homens deseja a paz, mas, infelizmente, a paz e a guerra são decididas por aqueles que acontece estarem no poder no momento. A responsabilidade de qualquer nação ou de qualquer grupo de homens é realmente grande, e raramente, se é que chega a acontecer, uma guerra pode ser justificada, sejam quais forem os argumentos que possam ser apresentados na tentativa de provar que não havia outra coisa a fazer. O mundo muito brevemente terá consciência de que mesmo as nações que vencem as guerras modernas, no fim perdem. Depois de uma guerra, as condições que prevalecem no mundo são de tal modo difíceis, que qualquer vantagem aparentemente ganha é ultrapassada pelos problemas do após-guerra que as nações são forçadas a enfrentar. Não pense, nunca, que as guerras são desejadas pelos poderes que controlam a Criação. Esses homens que alcançaram a perfeição fazem tudo quanto podem para levar a humanidade pelos caminhos da paz e do progresso, mas seus esforços são limitados, porque aos homens foi outorgado o livre-arbítrio. Essa é a herança peculiar que lhes é devida, como membros que são do reino humano."

P. — Quando as pessoas são muito evoluídas, obtêm automaticamente a continuidade de consciência que as capacita a recordar o que fazem quando adormecem e deixam seus corpos?

A. — Minha resposta depende do que o senhor considera uma pessoa evoluída. O homem médio tem de quinhentas a seiscentas encarnações em diferentes corpos, durante o tempo que decorre entre sua primeira e sua última vida como ser humano, quando, então, passa pela quinta iniciação e se torna um adepto. Embora sejam necessárias cerca de seiscentas vidas para que se aprenda todas as lições que este mundo tem a ensinar, é apenas durante as últimas cinqüenta vidas, mais ou menos, que um homem desenvolve a visão do oculto, e aprende a usar as faculdades latentes em todos os homens, tais como a intuição, a clarividência e o poder de, conscientemente, sair de seu corpo quando disso houver necessidade. Falando de modo geral, podemos supor que um homem evoluído tenha desenvolvido essas faculdades. Contudo, é possível que alguém não totalmente evoluído receba a oportunidade de se desenvolver por essa linha particular; seu próprio caso pode servir de ilustração ao que digo. O senhor provavelmente tem mais umas cinqüenta encarnações pela frente, antes de alcançar o estágio do homem perfeito, mas, como tinha grande necessidade, o senhor recebeu ensinamento especial e, em troca, espero que mostrará sua gratidão passando esse conhecimento a outros menos afortunados que o senhor. Se continuar a trabalhar como está trabalhando agora, verá que sua lembrança do que se passa quando está fora de seu corpo irá se tornando cada vez mais clara, e seu conhecimento da vida para além da sepultura o tornará apto a progredir muito mais rapidamente do que é habitual. Ao mesmo tempo, isso lhe trará muita paz e alegria mental. Não imagine que, tendo desenvolvido essa faculdade, o senhor se tenha tornado diferente ou superior a muitos outros que, provavelmente, receberiam com satisfação uma oportunidade igual. O orgulho sempre constitui um perigo, porque ele sempre é responsável pela retirada do auxílio dado a uma pessoa, resultando, para a mesma, numa volta ao Abismo do Desalento.

P. — Nascemos em número igual de vezes como homem e como mulher ou o sexo é apenas ocasional?

A. — Sua última pergunta é de fácil resposta. Não, o sexo não é apenas ocasional, e não nascemos em número igual de vezes como homem e como mulher. Só é possível adquirir determinadas características quando em corpo feminino, e outras quando em corpo masculino. Quando alcançarmos a perfeição, teremos todas desenvolvidas, em extensão mínima, as virtudes que se somam para o ideal de um homem perfeito, e muito mais do que o mínimo em algumas virtudes. Um homem que se desenvolve através da ação tem, naturalmente, um caráter diverso daquele que se desenvolve levando uma vida santa, através da capacidade de meditar durante longo tempo, no empenho de auxiliar o próximo. Todos os tipos de seres aperfeiçoados são necessários, e muitas são as formas que tomamos para realizar nosso destino. Se uma pessoa carece da coragem e da capacidade de tomar decisões sólidas e, assim, governar fielmente seus concidadãos, isso quer dizer que, provavelmente, essa pessoa poderá ter que nascer num corpo masculino durante duas ou três vidas consecutivas, de forma que tenha ampla oportunidade para o desenvolvimento do que necessita. Se, por outro lado, um indivíduo carece do chamado instinto maternal (ou mesmo paternal) e também foi incapaz de devotamento e capacidade de amor altruísta por alguém, mesmo quando esse amor tenha sido desdenhado, isso significa, provavelmente, que uma ou duas vidas num corpo de mulher seriam desejáveis, de forma que essas lições possam ser aprendidas. Teoricamente, uma pessoa deveria habitar o mesmo número de corpos masculinos e femininos no total de suas vidas, mas na prática a coisa não se passa desse modo, porque as pessoas se desenvolvem mais facilmente num tipo de corpo do que no outro. No devido tempo, quando um homem alcança a perfeição, terá que apresentar todas as notáveis qualidades de ambos os sexos razoavelmente desenvolvidas. Quando o senhor tiver oportunidade de encontrar alguns desses homens aperfeiçoados, verá que o que lhe digo é realmente uma verdade.

Acharya continuou: — Chegamos assim ao fim de suas perguntas e, depois que tiver traduzido suas notas taquigráficas, relendo-as, espero que considere que as respostas que lhe dei tenham esclarecido os pontos apresentados. Se eu fosse o senhor, iria deitar-me cedo hoje. Teve um dia cansativo. E não se deve dar ao trabalho de concentrar-se antes de adormecer para recordar, amanhã de manhã, o que fizer esta noite. Não tornarei a visitá-lo durante uma semana, pelo menos, de forma que terá bastante oportunidade de fazer experiências por si mesmo e, como lhe disse ontem, se tiver alguma dificuldade, estarei por perto a fim de ajudá-lo. A paz fique consigo, meu filho. Retiro-me, agora."

Eu poderia fazer uma longa descrição de tudo o que aconteceu na semana seguinte, mas prefiro fazer um resumo dos pontos principais.

Logo na primeira noite consegui fazer meu caminho até a casa de Daphne, onde a encontrei recebendo amigos. Fui apresentado e tive interessantes conversas com muitos deles sobre fatos atuais do mundo — a cujo respeito verifiquei que estavam muito bem informados. Muitos filmes foram exibidos para mim, mostrando os jardins que rodeavam as casas daquele vale. Esses jardins eram muito mais bonitos do que qualquer dos que eu já havia visto. Quando apareciam jardins, que de forma alguma eram desenhados, eu via espíritos da natureza, minúsculos seres, que não podiam ter mais do que seis ou sete centímetros de altura, julgando-os em proporção com as flores que eu conhecia, e que dançavam dentro e fora do filme. Quando pousavam numa flor, o caule estremecia de leve, tal como o faria sob uma grande borboleta ou abelha. Eram, realmente, perfeitas réplicas das fadas descritas nos livros que as crianças de todas as idades amam — com uma importante diferença: a completa ausência de asas. Isso pode ser compreendido, porque, logicamente, as asas são inteiramente desnecessárias no nível em que existem os espíritos da natureza.

Na segunda noite saí do meu corpo, pretendendo visitar a terceira esfera mais uma vez, porém, quando me encontrei pairando sobre a minha cama, na qual meu corpo estava deitado, a primeira coisa que ouvi foi a voz de Charles, falando comigo em sua característica gíria do exército. Dizia: — Já era tempo de você me procurar. Estive aqui pelo menos três vezes depois daquela noite em que você e seu amigo hindu foram a Londres comigo. E todas as vezes seu velho corpo aí estava, mas você tinha dado o fora. Eu não sabia por onde andava transando, e por isso não pude segui-lo. Desta vez resolvi chegar bem cedo, para que você não me escapasse. — Meu querido Charles — disse eu — sinto terrivelmente. Não sabia que você andou me procurando, porque tenho estado muitíssimo ocupado e realmente muito interessado em tudo quanto tenho visto. — E que tal irmos lá para cima, para o quarto da torrezinha, que era o seu predileto, conforme me recordo — disse Charles — e então conversar longamente, tal como nos velhos tempos? — Boa idéia, meu velho, vamos lá. — Assim, subimos para o meu retiro particular, onde tagarelamos sobre os velhos tempos, e eu lhe contei mais ou menos quanto me havia acontecido até aquele dia.

Charles disse: — Estou extremamente alegre por você ter tido a sorte de conhecer Acharya, porque me afligia muito, depois que morri, ver quanto estava angustiado e infeliz. Tentei o mais que pude falar com você, mas não conseguia fazer com que me ouvisse. E tínhamos sido tão bons camaradas nos velhos tempos, embora eu sempre o achasse um coroa, já que era muito mais velho do que eu. Agradeço tudo que fez por mim desde o tempo em que começou a me ensinar futebol e me deu as primeiras lições de como segurar o bastão de *baseball*. Que coisa engraçada é a vida! Minha idéia era mais ou menos divertir-me, tirar da vida o melhor que pudesse e, possivelmente, mais tarde, casar-me com alguma boa moça e constituir família. Quando conheci Acharya, ele me impressionou com o fato de que um homem não se modifica depois da morte. As condições sob as quais vive é que são diferentes. Verifiquei que isso é absolutamente verdade.

— Sim — respondi —, soube por Acharya que você não estava sendo exatamente infeliz. Ele me disse que você se ligou a uma moça que deixou o mundo recentemente. É verdade?

Ele terá corado, ou eu imaginei isso?

— Sim, é bem verdade — falou Charles. — Acho que o tempo passa quando se tem uma jovem para acompanhar a gente nos passeios por aí. No caso dela, penso que lisonjeia a minha vaidade; ela acha que eu sou um tipo bacana, só porque sei um pouco mais do que ela. Essa moça não foi muito feliz no mundo, e penso que isso de andar por aí, vendo *shows* e indo a restaurantes é emocionante, durante certo tempo.

— Oh! Charles! — disse eu. — Há uma coisa que desejo perguntar. Há alguma relação sexual em seu nível, depois que perdeu seu corpo físico?

— Dessa vez tenho certeza de que ele corou, mas respondeu: — Bem, sim, há, de certa forma, e penso que a maioria se regala com isso, mas não é a mesma coisa, se comparada ao plano físico. Chega-se a umas tantas coisas da mesma maneira, e como, provavelmente, eu teria sentido certo acanhamento quanto a falar sobre meus casos secretos de amor, se você me tivesse perguntado a respeito antes da minha morte, também me sinto assim para falar dessas coisas agora.

Eu disse: — Não tive a intenção de falar de seu caso pessoal, e só estou interessado em reunir o máximo de informações sobre as diferenças entre as condições dos planos físico e astral, e sobre os vários níveis desse último. Já lhe contei da minha ida até Daphne, em um dos níveis mais elevados, onde ela já está estudando música. Eu amava muito Daphne, quando ela estava viva, e lhe teria pedido que se casasse comigo, assim que pudesse manter uma esposa. Embora nós nunca tivéssemos experimentado as relações físicas do casamento, sinto que as associações platônicas que teremos agora, naqueles níveis mais altos, não só durarão durante toda a nossa existência astral, mas serão de grande benefício para nós em nossas próximas encarnações. Que tal você vir comigo uma noite e deixar que eu lhe apresente Daphne? — Sim, eu gostaria — disse Charles. Sugeri, então, a noite de quinta-feira, com o que Charles concordou.

Meu irmão contou-me que havia feito contato, recentemente, com nosso pai que morrera alguns anos antes. Pela descrição que fez compreendi que nosso pai estava vivendo na segunda esfera. Charles descreveu como o havia encontrado, rodeado de suas roseiras — assim eu o conhecera nos dias da minha infância —, dizendo que quando esteve com ele pela última vez meu pai se mostrara aflito, porque o *scotch-terrier* que se havia ligado a ele havia desaparecido, e ele temia que o cão se tivesse perdido. Expliquei a Charles o que tinha realmente acontecido, mas ele pouco interesse demonstrou. Continuamos a conversar, até que a sensação peculiar de inquietação se apoderou de mim. Mal tive tempo de dizer a Charles que não se esquecesse da noite de quinta-feira, e imediatamente acordei em minha cama, sem lembrança de como tinha ido parar lá.

Foi na noite de quarta-feira que tive a mais perturbadora das experiências — um pesadelo no qual Daphne tomou parte. Parecia que Daphne e eu estávamos numa caverna escura. Por alguma razão, não podíamos escapar de um odioso ser que se assemelhava a um gorila, e que estava sentado no chão, perto de nós, olhando furiosamente para Daphne, que, era óbvio, atraía-o de alguma horrível maneira. Sei que no meu sonho eu queria proteger Daphne, mas o gorila era de tal tamanho e força que eu sabia não ter chances contra ele. A criatura parecia divertir-se grandemente com nossos esforços para fugir, porque emitia berros selvagens e risadas roucas, enquanto corríamos de cá para lá, em torno da caverna, tentando encontrar uma saída. Mesmo no sonho, o suor corria da minha fronte, e eu tentava pensar em Acharya, na esperança de que ele fosse nos acudir. Nada, porém, aconteceu, e parecíamos entregues ao nosso destino. Depois de algum tempo, o gorila pôs-se de pé e avançou para Daphne, agarrando-a com seus horríveis e compridos braços peludos, para arrastá-la até a outra extremidade da caverna. Daphne gritava e defendia-se o quanto podia e, desesperado, atirei-me contra a criatura. Embora não tivesse armas, esforcei-me por levar as mãos a seu pescoço, na esperança de que voltasse sua atenção para mim. Ainda agora, posso sentir o hálito fétido daquele bruto, porque em meio da luta acordei em minha casa, suando profusamente, com as roupas da cama enroladas em meu corpo. Não tenho a menor idéia do que significa tudo isso. Verificarei com Daphne logo que possível, na esperança de que ela saiba algo a respeito.

Quinta-feira foi a noite em que comecei minha carreira como ajudante astral. Tratava-se da noite que estava marcada para levar Charles à terceira esfera. Charles atrasou-se e, ao chegar, estava muito agitado, porque, segundo disse, um seu camarada, Bill Fletcher, tinha acabado de ser derrubado e morto numa incursão sobre Londres. Pediu-me que fosse com ele para ajudar, e imediatamente nos pusemos a caminho até aquela cidade. Charles sabia onde devia procurar Bill, e nossa assistência foi recebida com satisfação por três ajudantes astrais dedicados, mas inexperientes. Depois de mais ou menos duas horas de trabalho por parte de todos nós, Bill foi persuadido a fazer um esforço de vontade para se libertar de seu corpo etérico e, imediatamente, tornou-se uma pessoa bastante diferente. Charles e eu tomamos conta dele, conduzindo-o para a casa onde morava e onde fizemos o possível a fim de preparar sua jovem esposa para as notícias que iria receber na manhã seguinte.

Tendo Charles resolvido permanecer com Bill, dizendo que sabia bem demais o que o pobre diabo estava sofrendo, voltei ao local da incursão, para ver se poderia prestar alguma assistência. Uma ambulância passou por mim, e eu resolvi segui-la. Dirigia-se para um dos grandes hospitais de Londres, e a maca, onde uma jovenzinha estava estendida, foi cuidadosamente levada para dentro do edifício. A mesma moça, em seu corpo astral, ia caminhando muito aflita bem junto da maca. Depois do exame, o corpo da moça foi levado para uma das enfermarias, já repleta de outros feridos. Sem qualquer afobação ou pressa, e com uma eficiência que muitíssimo me fascinou, a moça foi colocada numa cama, e foram preparadas as coisas necessárias para uma transfusão de sangue. Ela estava tentando, desesperadamente, comunicar-se com os médicos e enfermeiras que cuidavam de seu corpo inconsciente, mas depois de alguns minutos ouviu o que eu tinha a lhe falar. Disse-lhe que ficaria boa, porque, intuitivamente, senti que isso ia acontecer. Disse-lhe, ainda, que a ajudaria se se mantivesse calma e observasse o tratamento, usando, ao mesmo tempo, sua força de vontade para auxiliar os esforços dos médicos e das enfermeiras. Não sei, agora, por que lhe sugeri isso. Eu não tinha a mais ligeira idéia de que tal coisa pudesse ou não ajudá-la, mas essa idéia me veio à mente e falei o que sentia.

Eu podia ver, com muita clareza, a delgada linha de matéria etérica estendida entre seu corpo astral e sua forma física, deitada no leito do hospital; sabia, portanto, que a moça não estava morta e tinha certeza de que ela não morreria. Fiquei conversando com a jovem durante todo o resto da minha noite e, depois que ela me contou que a casa em que morava era vizinha da outra que recebera diretamente a explosão, e que realmente se sentia muito aflita quanto ao que acontecera com sua mãe idosa, comecei a lhe proporcionar um pouquinho do conhecimento que recentemente me fora dado.

Havia outros auxiliares movendo-se pela enfermaria, e um deles, que eu não tinha visto antes, mas que me disse chamar-se Jim, felicitou-me pelo meu esforço, dizendo que apreciaria muito que houvesse mais gente com o necessário conhecimento para ajudar em tais emergências.

Tive uma experiência tão única durante a noite de sexta-feira, que tenho que descrever essas atividades noturnas com alguns pormenores. Encontrei Daphne em sua sala, na Academia. Uma das primeiras coisas que indaguei dela foi sobre sua parte no pesadelo — mas ela me garantiu que não estivera presente. Decidimos tentar a passagem para a esfera seguinte — a quarta — por nós mesmos, mas tínhamos de enfrentar o problema de nenhum dos dois ter um ponto de referência ali, para visualizar. Sentamo-nos do lado de fora e nos concentramos. Tentei ver um hospital de doentes mentais, tal como Acharya havia mencionado, mas nada aconteceu. Desejava ter Acharya ali, para nos ajudar, e devo ter feito uma forma-pensamento dele, porque, depois que nosso próximo esforço falhou, ouvi uma risadinha atrás de mim — e ali estava meu amigo hindu. Disse que nos ajudaria e nos daria pontos de referência de cada esfera, pontos que deveríamos memorizar. Demos as mãos a Acharya e quando abri os olhos vislumbrei a paisagem que ali estava e que não pode ser corretamente descrita, pois era o mais belo vale que jamais vi. Em parte era arborizado, e o chão estava espessamente coberto de urzes de várias cores, das que se vê em pleno desenvolvimento na África do Sul, porém macias ao toque. Misturadas a elas, as flores silvestres desabrochavam em profusão. Lado a lado, vi prímulas, miosótis, narcisos, campânulas, tulipas, rosas silvestres e papoulas do vermelho mais intenso que se possa imaginar. Tenho a certeza de que não faltava qualquer variedade de flor silvestre, porque no terreno próximo, como no mais distante, havia um verdadeiro tapete de cores, cuja beleza era de tirar o fôlego a quem o contemplasse. — Pensei que vocês iriam gostar deste ponto de referência — disse Acharya — pois é chamado de "Vale Maravilhoso". Poderia ser descrito como o berço do reino deva, porque é o vale para onde os membros dessa evolução retornam, depois de terminado qualquer trabalho que lhes seja indicado. Sugiro que examinem o vale em alguma ocasião futura — silenciosa e delicadamente, porque os devas têm seus próprios métodos de manter a distância os filisteus que existem entre os homens. Constroem uma espessa parede de matéria astral, que torna impossível a visão a qualquer ser humano, mesmo que tal ser soubesse da existência deste lugar. Tais paredes servem, neste nível, aos mesmos propósitos reservados às paredes de tijolos do mundo físico.

Mais uma vez juntamos as mãos e expressamos o desejo de nos ver no próximo nível — o quinto. Abrindo os olhos, pareceu-me fantástico ver que estávamos de pé, ao ar livre, numa planície que se assemelharia a um deserto, não houvesse ali relva em lugar de areia. A distância, erguia-se uma cidade imensa, com muitas agulhas e torres, rodeada por enorme muralha. Sobre a cidade brilhava algo da natureza do sol, pois havia um fulgor sobre todos os edifícios, levando-os a cintilar como se fossem de ouro. — Aquela, meus amigos, é a Cidade Dourada — disse nosso guia — e eu os aconselho a que a visitem e estudem. Encontrarão ali tudo quanto foi pensado ou imaginado como possível de existir no Céu ortodoxo, tal como o descrevem os padres e os ministros ligados ao credo cristão. Toda a cidade é uma imensa forma-pensamento, e vocês a encontrarão repleta de formas-pensamento de Deus, do Pai, de Cristo, de seus doze discípulos e de muitos santos que figuram nos ensinamentos da Igreja.

De novo nos demos as mãos, e expressamos o desejo de passar para a sexta esfera. Um segundo depois estávamos à beira de um lago, rodeado por uma alta parede de pedra. A distância, à nossa esquerda, via-se uma abertura muito pequena. Eu gostaria de saber qual a sua finalidade. — Fixem uma imagem bem clara deste lugar — aconselhou Acharya. — Este lago é usado principalmente pelos membros da raça humana que desejam absoluto silêncio para seu trabalho particular. Há uma seita no mundo que evolui unicamente através de exercícios de meditação. Seus membros aprendem, durante a vida, que este lugar existe, da mesma forma como os cristãos aprendem que há um lugar chamado Céu. Os pequenos barcos que estão vendo são usados pelos homens que vêm ter aqui, porque, quando estão sobre a água, é impossível que um barco seja alcançado por outro. Isso é devido a algumas correntes subaquáticas, que levam os barcos a derivar em torno de todo o lago. Para voltar a seu ponto de partida, um barco leva vinte e quatro horas (de acordo com as horas da Terra) e os exercícios de meditação feitos por essas pessoas levam exatamente esse tempo para se completarem. Vejo que repararam na pequena abertura da esquerda que leva a um lago semelhante, porém menor, e também rodeado de altos rochedos. Esse lago foi produzido por uma pessoa que aqui estagiou. Um dia ela foi interrompida em suas meditações, por seres humanos que usavam o lago ao mesmo tempo que ela. A forma-pensamento que fez foi tão forte, que produziu um lago só para seu uso. Estou falando com vocês quase que num cochicho. Se falasse com minha voz habitual, vocês a ouviriam retumbando ao redor do lago, como um trovão. Os que vivem nestas proximidades conhecem esse aspecto incomum, e têm cuidado para não produzir qualquer som. Por causa dessa peculiaridade, o lago é chamado de "Águas do Perpétuo Silêncio". Agora, devo deixá-los. Não terão dificuldade para voltar sem a minha assistência.

Tal como ele dissera, Daphne e eu não tivemos dificuldade para retraçar nossos passos, mas quando chegamos à quarta esfera, e mais uma vez vimos o "Vale Maravilhoso", decidimos permanecer ali por algum tempo. Reparamos que havia sinais de grande atividade no vale, como se alguma espécie de cerimônia estivesse sendo preparada. Tinha-se a impressão de que milhares dos habitantes do lugar se reuniam ali. Sentamo-nos para assistir. Nossa presença foi notada por alguns "funcionários", e quando um deles veio ter conosco, esperávamos que viesse pedir que nos retirássemos — principalmente pelo fato de Acharya nos ter advertido de que os membros da nossa evolução nem sempre eram bem-vindos. O homem que, de forma lenta e nobre, flutuava em nossa direção, tinha uma cabeça inteligente, muito bonita, e uma dignidade espiritual que nos levou a nos levantarmos, instintivamente, quando ele se aproximou. Suas roupas nos eram estranhas; pareciam-se às de um mandarim chinês. As cores do longo casaco eram delicadas, enquanto os bordados reproduziam, claramente, muitas das flores silvestres que se abriam no vale. A expressão de seu rosto não parecia prever problemas para nós; assim, retribuímos o sorriso, esperando que essa atitude o tranqüilizasse. O que se seguiu foi um tanto misterioso, pois se travou uma conversação sem que uma só palavra fosse articulada. Perguntas e respostas seguiram-se umas às outras, muito mais rapidamente do que teria sido possível se nosso meio de expressão fossem palavras.

Percebi que nos perguntava se poderia fazer alguma coisa por nós. Eu lhe disse, apenas permitindo que o pensamento se formasse em minha mente, que Daphne era uma habitante do mundo astral, enquanto eu ainda vivia em meu corpo físico, e que ali estava enquanto esse corpo físico dormia. Ele pareceu entender perfeitamente, e disse que fora instruído pelo "Chefe" para conduzir-nos até ele. Fizemos sentir que tínhamos muita satisfação em acompanhá-lo, e imediatamente nos movemos em direção da arena central. Quando nos aproximávamos, vimos que as pessoas estavam sentadas em círculo, em torno de uma ampla área aberta. Flores silvestres tinham sido tecidas como uma grinalda para manter afastada a multidão, e eu não pude deixar de comparar a beleza daquela "cerca" com as que temos no mundo. Bem ao centro do círculo, fora erguido um tablado, todo feito de grandes blocos de musgo verde, com pilares a cada canto, formados de flores de vários tamanhos e cores, entretecidas.

Até o toldo acima do tablado era feito de delicados fetos, semelhantes a nossas avencas. O conjunto formava um quadro belíssimo. O musgo do piso do tablado tinha sido colocado de modo a formar numerosos assentos, com encostos. Esses assentos pareciam tão confortáveis que imediatamente tivemos vontade de nos sentar ali. Na frente estavam dois grandes assentos, quase dois tronos e, embora também eles fossem feitos de musgo, eram mais ornados do que os outros. Enquanto esperávamos que o "Chefe" aparecesse, nosso guia contou-nos algo sobre o que ia acontecer. O que ele disse, em suma, foi que as pessoas ali reunidas iam testemunhar uma cerimônia de graduação. Explicou que quando chegava a época em que um grupo de espíritos da natureza passava para o estágio seguinte de sua evolução, tornando-se devas, esses espíritos da natureza tinham de dar provas de sua proficiência numa daquelas reuniões. Desde que satisfizessem um "Conselho de Examinadores", passavam de espíritos da natureza a devas, com um número maior de deveres regulares. Disse que os egos evoluíam ao longo de três linhas especiais de trabalho: (1) a linha do Poder, trabalhando com Música e Cor; (2) a orientação do Reino Vegetal, que tirava suas modificações e progresso das experiências feitas no nível astral pelos membros da evolução deva; (3) e o trabalho em conexão com o Reino Humano. Explicou que os espíritos da natureza se mesclavam freqüentemente com os seres humanos, particularmente com as crianças. Brincavam muitas vezes com aquelas que vinham ao mundo astral muito pequenas ainda, e ensinavam-lhes como fazer uso da plástica matéria astral, para que pudessem viver suas histórias de fadas com toda a verdade, modificando-se à vontade, de forma a representarem qualquer figura por tanto tempo quanto quisessem e enquanto os pensamentos dos que tomavam parte perdurassem. Ele fez-me sentir que aquela esfera do mundo astral é para o reino deva o que o reino físico é para o reino humano. Entre suas vidas, os pássaros retornam a essa quarta esfera, da mesma maneira pela qual os humanos habitam a sexta e sétima esferas, quando estão aguardando seu retorno ao mundo. Pássaros, bem como peixes, borboletas, e outras criaturas aladas, transformam-se, eventualmente, em espíritos da natureza; e são parte da evolução deva. Nunca se tornam parte da nossa evolução humana.

A essa altura, um grupo emergiu de um bosque próximo. Se eu tivesse um dia imaginado que a história do "Tapete Mágico" poderia adquirir vida, ali estava o caso! O grupo consistia de duas figuras centrais, ambas sentadas, de pernas cruzadas, no que só poderia ser descrito como um tapete cerimonial, flutuando cerca de um metro acima do solo. De cada uma das pontas dianteiras, guirlandas de flores eram suspensas pelos bicos de numerosos pássaros de todas as cores imagináveis e, enquanto esses pássaros voavam à frente, como que puxando o tapete, os outros devas que faziam parte da procissão flutuavam majestosos a cada lado. Outro grupo de pequenos pássaros voava para trás e para a frente, deixando cair pétalas de rosas sobre o caminho da procissão; os pássaros desciam ao solo, apanhavam com o bico uma pétala, nas roseiras que cresciam por toda parte e retornavam imediatamente à posição anterior, de onde, então, deixavam-na cair. Enquanto a procissão, lentamente, ia fazendo seu caminho, o ar enchia-se de notas saídas da garganta de milhares de pássaros de todos os tipos. A procissão alcançou seu destino, e as duas figuras centrais foram escoltadas até os tronos especiais preparados para elas, sobre o tablado. A primeira delas era o "Chefe", e a segunda o Grão-Sacerdote, a julgar pelos trajos cerimoniais que usavam. Enquanto outros "funcionários" tomavam seus lugares no tablado, o guia apresentou-nos, a Daphne e a mim, ao Chefe, que nos fez sentir que devíamos ocupar lugares na plataforma. Ofereceu a Daphne um assento à sua direita, e deu-me lugar à esquerda do Grão-Sacerdote. Antes que a cerimônia propriamente dita tivesse início, uma grande orquestra, composta apenas de devas, tocou um trecho musical extremamente animador e melodioso. Depois que a orquestra acabou de tocar, fez-se outra vez silêncio. Mesmo as miríades de pássaros se calavam, deixando de fazer ouvir o mínimo som que fosse.

Um arauto entrou, então, para dentro do círculo e, com uma pequena corneta de prata, anunciou a primeira parte da cerimônia. Um pequeno grupo de espíritos da natureza entrou na arena. Embora nenhuma palavra fosse pronunciada, uma pergunta passou do examinador principal para aquele grupo. Relacionava-se com a expressão dos sons, quando representavam um rio de águas lentas, deslizando preguiçosamente através de uma região arborizada, com árvores altas de cada lado de suas margens. Imediatamente, o grupo criou instrumentos de sopro e uma curiosa espécie de guitarra. Os componentes do grupo começaram a tocar, e eu vi que a forma-pensamento, devagar, ia tomando um feitio que mostrava exatamente o que tentavam ilustrar através do som. Seguiu-se imediatamente outra ordem, para que produzissem música que expressasse os elementos. De pronto os instrumentos foram trocados. Muitos tambores, um jogo de címbalos e dois outros instrumentos de sopro, grandes e bastante incomuns, um tanto semelhantes ao oboé, foram apresentados. Voltaram a tocar, e não foi difícil compreender, mesmo sem olhar para a forma-pensamento que se desenhou claramente diante de nós, que um temporal no mar era o assunto do tema em questão. Quase se podia ouvir o ranger das adriças e dos estais, forçados ao máximo pela força da ventania. Não faltaram trovões e relâmpagos e, logo que o grupo terminou, a multidão levantou-se como um só corpo, erguendo as mãos para o céu, em lugar de aplaudir com palmas e "bravos", como nós fazemos. Essa foi a tarefa do primeiro grupo, e eu estava certo de que seus membros tinham passado pelo teste com sucesso.

O segundo grupo foi então introduzido no círculo; compunha-se de apenas cinco elementos. Pediram-lhes que demonstrassem o resultado de certos enxertos, relacionados tanto com flores e arbustos como com diferentes qualidades de frutas. As respostas apareceram imediatamente em formas-pensamento, que mostravam, com muita clareza, todas as modificações em tamanho e cor. Pediram-lhes, também, que dissessem quais as espécies de flores que podem crescer no mesmo canteiro, e qual a espécie que significa morte para as demais. Depois houve perguntas a respeito de culturas cíclicas e do porquê de sua necessidade. Esse segundo grupo também parece ter satisfeito tanto os examinadores quanto os assistentes.

A corneta de prata tornou a soar e um terceiro grupo de espíritos da natureza, muito pequeninos, entrou no círculo e a forma-pensamento de três crianças humanas foi criada pelos examinadores. Eram típicas crianças inglesas, entre os cinco e os sete anos. Elas comentavam a história de Cinderela. Imediatamente, os espíritos da natureza que entraram no espírito do brinquedo se juntaram a elas. Combinaram quanto à distribuição dos papéis e, quando tudo ficou assentado, verifiquei que os espíritos da natureza haviam tomado para si as partes que as crianças quase sempre se recusam a representar. Eles foram as irmãs feias, o pai desagradável, deixando os papéis de Cinderela, da Fada Madrinha e do Príncipe para as crianças. Uma versão curta da peça foi representada, mas as cenas das transformações, da carruagem fantástica e a mudança dos trajos de Cinderela eram muito mais realísticas do que qualquer das representações realizadas sob as condições do plano físico. Imagino que a carência de egoísmo demonstrada pelos pequenos espíritos da natureza foi o que determinou a diferença entre passar ou falhar no teste.

Depois de um pequeno intervalo, com música animada, todos os membros dos três grupos examinados foram chamados de volta à arena.

O arauto anunciou sua entrada com a corneta de prata. Os examinadores, agrupados ao redor do Chefe e do Grão-Sacerdote, reuniram-se como que para conferir o que tinham visto e, depois de alguns momentos, o examinador-chefe ficou de pé diante do Chefe, e obteve seu consentimento para que os espíritos da natureza fossem promovidos à categoria de devas.

Então, o Grão-Sacerdote levantou-se, inclinou-se diante do Chefe e, solenemente, caminhou para a arena, onde os espíritos da natureza aguardavam. Pela primeira vez foram usadas palavras. O Grão-Sacerdote ergueu as mãos acima da cabeça, e entoou uma invocação na mesma língua desconhecida que eu ouvira na clareira da terceira esfera. O arauto entregou-lhe, então, uma grande espada, cuja lamina brilhava, fulgurantemente, à clara luz astral. Levantando-a para o céu, disse mais algumas palavras e, lentamente, caminhou para o primeiro dos espíritos da natureza, os quais estavam em longa fila diante dele. Colocou a espada sobre a cabeça do primeiro e disse duas palavras, que me pareceram significar: "Deus esteja contigo" (embora eu não saiba por que pensei tal coisa). E, enquanto eu olhava, a forma do espírito da natureza, que parecia ser a de um velhinho, transformou-se na de uma jovem. A mesma coisa aconteceu com todos os graduados. Alguns espíritos da natureza masculinos tornaram-se devas masculinos, enquanto outros mudavam de sexo. Todas as criaturas recentemente criadas tinham aparência jovem.

Eu ia agradecer ao Chefe a maravilhosa oportunidade que nos fora oferecida, quando, sem aviso prévio, senti meu corpo a chamar-me, e me vi acordado na minha cama em Colombo.

No sábado seguinte, à noite, quando saí do meu corpo, encontrei Jim, o ajudante astral que conhecera no hospital de Londres, à minha espera. Viera pedir minha ajuda. Declarou que ficara muito impressionado com a forma pela qual eu tinha tratado do caso da moça — cujo nome era Mary — na quinta-feira à noite, e sentiu que eu poderia prestar mais algum auxílio. A moça soubera, por um visitante indiscreto, que sua mãe fora morta na incursão, e ficara tão angustiada que ninguém conseguia coisa alguma dela. Como havia uma irmã mais nova, Irene, de sete anos, seria uma tragédia se Mary também morresse. Fiquei muitíssimo satisfeito por essa oportunidade de pôr em prática o que aprendera recentemente. Quando cheguei à enfermaria, vi o corpo de Mary, tomado pela febre, agitando-se na cama, enquanto a própria moça caminhava de cá para lá pela sala, metaforicamente arrancando os cabelos. Recebeu-me com satisfação e, à proporção que eu lhe falava brandamente, ela se foi tranqüilizando. Fiz a forma-pensamento de um confortável sofá e, sentando-nos ali, dei à moça toda a ajuda que pude, através do conhecimento que me fora transmitido por Acharya. Levei a conversação para Irene, e fiz sentir o que a menina sofreria se tanto a mãe como a irmã estivessem mortas. Assegurei a Mary — com uma autoridade que não possuía — que ela poderia viver, por um esforço da vontade e que, se assim o fizesse, ainda lhe restaria a possibilidade de se encontrar com a mãe durante o sono. Perguntou-me se eu a auxiliaria, ao que respondi afirmativamente, chamando a mim, dessa forma, uma parcela de responsabilidade. E disse-lhe que voltaria na noite seguinte.

Na noite de domingo Mary estava à minha espera e bastante calma. Sugeri-lhe que procurássemos sua mãe. Mostrei-lhe como era fácil viajar sob as condições astrais, e depressa esse método de locomoção não só a interessou como a intrigou. Mary levou-me até o bloco de apartamentos em que havia morado. Encontramos Irene no apartamento de um vizinho e, ao lado de sua cama, estava a mãe, esforçando-se por consolar a criança em prantos, que não a podia ver. De início, a mãe pensou que Mary também estivesse morta, mas, quando compreendeu não ser esse o caso, e que ela poderia tomar conta de Irene, acalmou-se. Deixei as três conversando, depois de combinar que me encontraria mais tarde com elas, e voltei ao hospital. Vi Jim e seus companheiros trabalhando, e tomei nota de seus métodos. Quando Mary, a mãe e Irene chegaram, passei o resto da noite tentando ajudá-las, da mesma maneira pela qual Acharya me havia ajudado. A mãe não era pessoa muito evoluída — e o soubera por um ajudante astral que tinha precisado de dois dias para persuadi-la a fazer o esforço de vontade necessário para se desfazer do corpo etérico. Por fim, ela pareceu compreender que o vínculo com sua família não estava destruído, e que poderia ainda ver as filhas, à noite. Isso fez com que se sentisse muito mais feliz. Penso que se sentirá contente com as condições da primeira esfera, durante algum tempo. Meu último movimento, antes de voltar para meu corpo, foi usar toda a força de vontade que possuía para imprimir sobre Irene a idéia de que, acordada, ela devia recordar-se de algumas das coisas que tinha ouvido durante o sono.

Capítulo 10

Acharya chegou quando o relógio marcava 11 horas, conforme eu esperava. Antes de mais nada, pediu-me que lhe desse o registro das minhas experiências durante a semana que se passara. Leu-o todo, muito cuidadosamente, antes de começar a falar. À medida que lia, sua expressão mostrava uma apreciação cada vez maior pelos meus esforços, e não me surpreendi, de forma alguma, quando ele disse: — Devo, realmente, felicitá-lo pelo que fez durante estas sete noites. O fato de eu ter deixado que trabalhasse por sua própria conta durante esse estágio inicial do treinamento foi um risco, mas os resultados provaram que eu não estava errado ao pensar que o senhor já se encontrava pronto para assumir certa responsabilidade, embora sua instrução tenha sido feita num tempo relativamente curto. Sinto-me realmente feliz por ter sido escolhido como instrumento para aliviar a angústia que era tão extremamente aparente quando nos vimos pela primeira vez.

"Muito pouca coisa, sobre suas experiências da última segunda-feira à noite, requer algum comentário. Um filme colorido é freqüentemente utilizado pelos habitantes permanentes do mundo astral com o propósito de mostrar fotos de lugares especiais que desejam exibir aos amigos, de forma que não tenham de sobrecarregar suas memórias, indevidamente, com as cenas que desejam mostrar. Usar a reprodução astral de um filme fotográfico é ainda um método mais simples e, contanto que o operador tenha recebido o conhecimento técnico, os resultados são idênticos aos de um espetáculo similar feito no mundo.

"Estou satisfeito por ter o senhor compreendido que é extremamente improvável que Charles deseje, durante um considerável espaço de tempo, deixar a parte do mundo astral em que agora está vivendo.

"Depois, temos sua experiência de quarta-feira à noite, quando tudo quanto recordou tomou a forma de pesadelo. Já indagou a Daphne se ela se recordava de ter tido parte em seu sonho e ela garantiu-lhe que, tanto quanto sabia, não teve qualquer parte nele — e pode estar seguro de que tal declaração foi correta, pois em sua vida astral não há períodos de perda de consciência. Assim ela está sempre certa do que faz. A fim de que o senhor compreenda minha explicação do ocorrido, quero que volte a mente para uma conversa anterior. Nessa conversa eu lhe disse que os homens perfeitos, ou Mestres, dão instruções a discípulos, em certas circunstâncias. Há dois graus de discípulos: um chamado Probatório, e o outro Aceito. A única diferença entre os dois é que, uma vez aceito por um Mestre, o discípulo, por assim dizer, é recebido entre o pessoal permanente e utilizado para esse trabalho, não só na vida presente, como depois da morte e nas vidas futuras. Um discípulo em estágio probatório é posto em experiência, e só depois de ter servido nessa condição, possivelmente durante muitas vidas, é levado a um contato muito maior com o Mestre que se encontra entre discípulos aceitos. A compulsão nunca é usada, pois nem mesmo os Mestres têm autoridade para interferir com o livre-arbítrio que é dado a cada homem no momento de sua individualização; mas, antes que o ser humano possa ser utilizado para o trabalho oculto por esses grandes Seres, deve mostrar que erradicou por completo a emoção do *medo* da sua constituição, e deve provar que está sempre disposto a *sacrificar-se* pelo interesse de seu trabalho. É necessário que o estudante passe pelos cinco testes astrais — que são habitualmente recordados por ele sob a forma de sonhos ou pesadelos. Recebi autorização para lhe dizer que sua determinação de dominar as dificuldades do entendimento das condições do plano astral foi notada por um desses Mestres, e é possível que, na plenitude do tempo, o senhor receba a oportunidade de servir à Fraternidade Branca, à qual Ele pertence — e isso significa que, provavelmente, será recebido como discípulo probatório. O sonho que teve na quarta-feira à noite foi, realmente, um teste astral — pelo qual o senhor passou com bastante êxito. O teste propunha-se a provar que, embora evidentemente atemorizado pela criatura semelhante a um gorila, de fato uma forma-pensamento criada pelo Mestre em questão, o senhor estava disposto a se esquecer de si próprio e a fazer, se necessário fosse, o supremo sacrifício, a fim de proteger o que era apenas uma forma-pensamento de

Daphne, mas que representava intensa realidade a seus olhos. Se tivesse se recusado a fazer esse esforço para salvá-la, o senhor teria retornado a seu corpo um pouco mais cedo do que retornou, com a mesma lembrança de um pesadelo, mas nesse caso teria falhado, e provaria ao Mestre, que o estava observando na ocasião, estar incapacitado e insuficientemente adiantado na evolução, para o propósito que ele tinha em mente. No curso dos próximos anos, o senhor talvez descubra que recorda outros sonhos e esses sonhos serão, também, testes astrais. Terá que passar por eles antes de se qualificar para o trabalho que lhe será proposto. Como personalidade, sabe muito pouco sobre essas coisas, mas o que é verdadeiramente o senhor, o ego, sabe muito bem o que está acontecendo e, pelo que sei, está muitíssimo interessado em vencer e em ser usado para auxiliar a humanidade.

"Devido ao interesse que demonstrou pela instrução que lhe transmiti, vou dar-lhe uma tosca idéia do que terá de realizar, antes que se possa qualificar para esse trabalho. Deve saber como se locomover por toda parte, de forma rápida e eficiente, nos diferentes planos do mundo astral. Terá que saber tudo sobre as mais baixas entidades astrais, incluindo aquelas que têm corpos etéricos tal como os elementais que viu no fundo do mar — e deve ser treinado de forma que o efeito hipnótico dos olhos dessas criaturas não tenha efeito sobre a sua pessoa. Há um teste de fogo, que toma o aspecto de um violento incêndio numa floresta, através da qual o senhor deve caminhar sem medo e sem apressar o passo. Isso parece fácil, mas na ocasião não o é. O terrível calor, que sentirá em seu corpo astral da mesma forma com que seria sentido um fogo físico de autênticas dimensões, poderá aterrorizá-lo e levá-lo a pensar que será destruído se tentar a passagem através dele. Desde que compreenda que, estando em seu corpo astral, não pode ser atingido, caminhará calmamente pelo fogo e o teste será bem-sucedido. Há o teste da água, que o ensina a viajar sob as águas do mar; verá então com surpresa quantos iniciantes falham nesse teste. Eles sucumbem a uma sensação de afogamento, devida inteiramente à imaginação, mas que nem por isso deixa de produzir medo. Isso os traz de volta a seus corpos físicos, e eles acordam, compreendendo que tiveram um mau sonho. O senhor terá de satisfazer o Mestre que estiver interessado em sua pessoa, mostrando que pode conhecer a diferença entre um habitante permanente no mundo astral e o que está passando ali suas horas de sono.

Terá de provar que desenvolveu uma compreensão benevolente que o capacita a trabalhar em conjunto com os membros da evolução deva — a cooperação com eles costuma ser necessária nesse trabalho. O senhor terá de distinguir a diferença entre a forma-pensamento de uma pessoa em particular e essa própria pessoa, porque, se o Mestre o enviar com uma mensagem a ser entregue a alguém que vive em esfera do mundo astral diferente daquela em que ele está funcionando no momento, o senhor poderia ser abordado por uma entidade antagônica ao Mestre e que, com o propósito de enganá-lo, tomasse a aparência da pessoa que está procurando (realmente, uma forma-pensamento parecida com ela). E o senhor entregaria a mensagem, supondo tratar-se da pessoa real. Isso poderia ter sérias repercussões sobre o trabalho que o Mestre estará fazendo na ocasião. Esses disfarces são muito comuns no plano astral e o senhor deve ser treinado para usar certos sinais de poder, que o capacitarão a provar, de forma conclusiva, se a pessoa em questão é ou não genuína. Provavelmente, o senhor já terá ouvido falar em vampiros. Eles de fato existem, mas, por felicidade, são pouco comuns. Vivem sob condições similares às dos suicidas. Ambos estão ligados à Terra, e o senhor deve saber, não só como ajudá-los, mas como livrá-los de sua escravização. Penso que já lhe disse o suficiente para mostrar-lhe que ainda tem muito que aprender.

"Passemos agora às suas aventuras da noite de sexta-feira, quando encontrou alguma dificuldade em passar para níveis mais altos, sem ter pontos de referência nos quais concentrar-se. Eu estava me mantendo em contato com o senhor mentalmente, pois sabia que talvez fizesse uma tentativa assim numa noite qualquer, quando eu o deixasse livre para realizar experiências por si mesmo. Conforme descobriu, é bastante simples ir a qualquer parte do mundo astral, contanto que se tenha um ponto de referência especial para esse propósito. Espero que não seja necessário, no futuro, vir em seu socorro num caso desses. Eu não lhe dei um ponto de referência da sétima esfera, pois ali pouco há que possa interessá-lo, e não é desejável que venha a ter desnecessário contato com as cascas que existem presentemente naquele nível.

"O senhor, realmente, teve muita sorte ao testemunhar a cerimônia de graduação (pois vejo que foi esse o nome que deu ao fato) na qual certos espíritos da natureza foram transformados em membros subalternos do reino deva. Os espíritos da natureza, naturalmente, constituem parte da evolução deva, embora haja uma tremenda diferença entre um espírito da natureza e um deva. Não é possível dar-lhe um exemplo paralelo em nossa evolução. Muito poucas pessoas, vivam elas no plano astral ou no plano físico, tiveram o privilégio de ver o que viu naquela noite, e estou muitíssimo satisfeito pelo fato de o senhor, na volta de sua viagem a níveis mais altos, ter parado durante algum tempo na quarta esfera.

"Não houve interferência minha nessa oportunidade, que lhe foi dada nas noites de sábado e domingo, de pôr em prática alguns dos ensinamentos que tive o privilégio de lhe dar; portanto, posso dizer-lhe, sem hesitação, que seu trabalho não só foi extremamente valioso, mas realmente muito bem-feito. Oferecendo um pouco de seu conhecimento à jovem Mary, tomou, naturalmente, certas responsabilidades, e também é mais que possível que o ajudante astral, que o senhor chama de Jim, lhe peça outras vezes o auxílio, quando sua organização estiver sobrecarregada de trabalho. Isso não só lhe dará grandes oportunidades de servir, o que sempre produz bom carma, mas verá que seu interesse e compreensão por seu próximo se desdobrarão milhares de vezes através desses trabalhos. A técnica que empregou em relação a Mary e a sua família foi inteiramente correta. Não deve desapontar-se pelo fato de Mary não ter reagido a seu ensinamento nem provado ser discípula tão eficiente quanto o senhor o foi em relação a mim, pois, como já lhe disse repetidas vezes, é a *intenção* que importa, e não o resultado. Seus esforços, no desejo de que a menina Irene se recordasse, ao acordar na manhã seguinte, de algo do que lhe dissera durante o sono, tiveram completo sucesso, e hoje ela está se sentindo de modo muito diferente em relação à perda que sofreu. Deixo à sua decisão uma nova visita a essa família, quando considerar necessário, porque agora ela é de responsabilidade sua, e só será assistida por outros se o senhor falhar em lhe dar a assistência que, por seu próprio e livre-arbítrio, lhe prometeu.

"Devo falar-lhe, agora, sobre o mundo mental. Eu lhe disse que, depois de certo período de tempo, é preciso que todos nós abandonemos nosso corpo astral e deixemos o mundo astral pelo mental. O período de tempo varia de acordo com nosso estágio de evolução. Um homem com cerca de cinquenta vidas passará muito mais tempo no mundo astral e menor espaço de tempo no mundo mental do que o que viveu quinhentas vidas em diferentes corpos e ambientes, quando teve oportunidades para estudos intelectuais. Em uma das minhas palestras, comparei os corpos em que funcionamos com um homem vestido com suas roupas íntimas, depois com um terno, a seguir com um sobretudo. Quando ocorre a morte no nível físico, isso corresponde à retirada do sobretudo (o corpo físico); quando o mesmo ocorre no nível astral, isso corresponde à retirada do terno (o corpo astral), o que deixa o homem em suas roupas íntimas (o corpo mental), veículo com que ele entra no mundo mental.

"Conforme eu disse, o corpo mental é o primeiro corpo que o ego atrai em torno de si em sua descida do nível causal. É feito de matéria ainda mais fina do que a matéria astral. Na verdade, é uma forma-pensamento do indivíduo. Como o senhor ainda não poderia apreender uma descrição daquelas delgadas e enevoadas formas que parecem carecer de qualquer densidade, eu lhe darei uma comparação física do corpo mental de um ser humano não evoluído, digamos, de alguém que tivesse tido cerca de cinqüenta encarnações, relacionando-os com um cesto de vime visto em dois estágios de sua fabricação — o primeiro estágio e o artigo já terminado. Nos primeiros estágios, vemos delinear-se um cesto que ainda não passa de alguns pedaços de taquara fixados numa base. Posteriormente, são tecidas todas as aberturas, e o artigo terminado é o resultado de muitas centenas de varetas de vime, todas separadas umas das outras, embora pareçam à primeira vista um todo. Cada uma dessas varetas pode ser vista como a representação de um assunto particular do desenvolvimento mental mais ou menos dominado por esse indivíduo.

"No momento em que uma pessoa termina sua vida no mundo astral, passa para a sétima esfera desse mundo. Quando chega a ocasião de sair dali, fica sonolenta, perde a consciência e acorda quase que imediatamente no mundo mental. Depois da morte física, quando um homem toma inteira consciência do mundo astral, sua primeira sensação é de bem-estar e de boa saúde. Quando, depois de sua morte astral, ele toma inteira consciência do mundo mental, sua primeira sensação é de profunda beatitude e de sentimento de paz para com a humanidade. Nos primeiros estágios, ele pode não compreender que passou para o plano mental, porque está se sentindo tão contente e feliz ali que só deseja que o deixem tranqüilo durante algum tempo. Na devida ocasião, compreende que houve modificação em seu ambiente, e mais uma vez tem de ser instruído, por aqueles que o esperam para lhe dar as boas-vindas, quanto à diferença existente entre as condições sob as quais deve agora viver, e as que se relacionavam com o mundo que acabou de deixar.

"O mundo mental é o mundo do pensamento. Os pensamentos são as únicas realidades. *São* coisas, tanto quanto mesas e cadeiras são coisas — da mesma maneira pela qual o corpo mental é composto de matéria mais fina do que o corpo astral. É realmente impossível consegui-lo, mas, se pudéssemos levar parte da nossa matéria astral ou física para o mundo do pensamento, essa matéria não existiria para aqueles que estão ali. Essas coisas seriam, mais ou menos, o que as formas-pensamento são no mundo físico. Estão todo o tempo em torno de nós, e não podemos vê-las. Contudo, influenciam nossas mentes. Minha maior dificuldade em lhe explicar quais são as condições do mundo mental reside no fato de não haver palavras que nos capacitem a descrever, com pormenores, as condições de consciência inteiramente estranhas à compreensão no plano físico. Na plano mental, não vemos as outras pessoas como indivíduos, nem como reproduções astrais das formas físicas, mas como formas-pensamento do indivíduo em questão, e essas formas-pensamento estão de acordo com o desenvolvimento mental do indivíduo.

"O homem que atua no nível mental pode ser comparado a um aparelho telegráfico que tanto recebe como transmite. O número de comprimentos de onda que ele pode usar, para receber ou transmitir, depende inteiramente do número de assuntos com os quais esteja familiarizado. Pode receber no seu aparelho os pensamentos de outros, contanto que saiba sintonizar os respectivos comprimentos de onda — em outras palavras, se ele tem algum conhecimento do assunto de que se compõem esses pensamentos — e pode levar adiante uma conversa sobre esse assunto, porque responderá às formas-pensamento que recebe, transmitindo seus próprios pensamentos, que então serão captados por outras pessoas, com idênticos interesses e conhecimentos.

"No nível astral, o senhor viu os gigantes intelectuais criando bela música, pinturas, etc., e ensinando a outros sua arte e ciência. Quando passam do mundo astral para o mundo mental, eles continuam a ajudar os outros, que estão percorrendo o caminho já feito por eles; mas, no mundo mental, seu ensino toma a forma de conferências técnicas e teóricas, enviadas como corrente perpétua de pensamento. Todos esses pensamentos podem ser captados por quem quer que esteja interessado no mesmo assunto. Desses pensamentos, só podemos apreender a quantidade equivalente à que, através de nossas atividades intelectuais passadas, estamos aptos a compreender. As partes do pensamento que ficam para além da nossa compreensão não ficam registradas e não são apreendidas por nós, porque nosso aparelho receptor é limitado por nossa compreensão. Se nunca estudamos assuntos como matemática e química, não teremos possibilidade de responder aos pensamentos relativos a eles, e que podem estar nos rodeando, oferecidos por pessoas bem versadas nessas ciências. No nível mental, a vida é muito mais interessante para o intelectual do que para o homem de inteligência limitada. Veja o caso de uma pessoa que, durante a existência, estudou um assunto em particular. Ela poderá, então, entrar em contato com outros intelectuais, mestres no referido assunto, apenas pelo sentimento e visão das formas-pensamento expressas por esses mestres. Não sendo mais limitado por um cérebro inadequado, ela compreenderia, muito claramente, não só todas as muitas coisas que compreendeu perfeitamente em seu nível físico, como muito do que em sua vida física apenas pode compreender em princípio, sem se aprofundar.

"O homem continua a desenvolver-se mentalmente durante considerável período de tempo, não só para sua grande satisfação, mas também para seu grande benefício em vidas futuras, porque, através do trabalho feito, e em conseqüência do mesmo, ganha o direito de receber, em sua próxima encarnação física, um cérebro capaz de absorver o conhecimento integral que consolidou durante sua estadia no mundo mental. Quando eu lhe disser que homens de intelecto altamente evoluído passaram, como se sabe, um tempo equivalente a dois ou três mil anos no nível mental, o senhor talvez admita que para pessoas assim a vida não pode ser considerada monótona. Por outro lado, o tempo que uma pessoa não evoluída passa nesse nível é realmente muito curto quase sempre, porque essa pessoa tem pouca coisa a consolidar, e certamente sua vida ali não é nem de longe tão agradável e interessante quanto as vidas de seus irmãos mais intelectualizados. Essa pessoa não compreende as próprias limitações, de forma que não sofre, mesmo quando se trata de homem com a inteligência mais limitada que se possa imaginar. Quando os egos que estão na Cidade Dourada passam para o mundo mental, ainda têm em mente um pensamento fundamental, que é a idéia de *Céu*. Seus professores de religião lhes ensinaram que, uma vez 'recebidos no Céu', ali ficariam para sempre. Estão bem seguros de que foram recebidos, porque andaram vivendo em condições que para eles estão de acordo com as promessas de eterna beatitude que aguardavam. Esperam permanecer eternamente num mundo celestial e, sendo essa sua crença dominante, a ilusão do Céu, tal como sempre o imaginaram, é criada por eles, e nela vivem, permutando seus pensamentos com os pensamentos de outros, enviados por pessoas controladas pelas mesmas ilusões. Assim, toda a sua vida mental é vivida dentro de uma gigantesca forma-pensamento. Embora sejam perfeitamente felizes, eles não costumam beneficiar-se muito com essas condições, como acontece com aqueles que usam o mundo mental não só para consolidar suas próprias atividades mentais como, também, para aumentar o conhecimento intelectual que possuíam antes de alcançar essa esfera da conscientização. As pessoas que vivem rodeadas pela idéia de Céu, mostram-se radiantemente felizes e perfeitamente contentes; sendo assim, ninguém pode afirmar que elas estão em piores condições do que as outras que viajaram por caminhos diferentes.

"No mundo mental encontramos, novamente, sete esferas de consciência, correspondentes às do nível astral; mas nesse mundo não há qualquer dificuldade para se passar de uma esfera para outra — quer ela esteja acima ou abaixo. Na prática, contudo, o senhor verá que os habitantes permanentes de fato movem-se muito pouco. O homem médio encontra ali seu lar natural, isto é, a esfera que mais lhe convém e na qual terá maior felicidade, em qualquer das quatro primeiras esferas. Só os indivíduos de notável inteligência vão além da quarta esfera. Habitualmente, um homem passa do mundo astral para o mundo mental, ajudado por aqueles auxiliares que lhe vão ao encontro, acha seu caminho quase que imediatamente para aquela particular esfera de consciência que se coaduna com seu desenvolvimento, e permanece ali, até que chegue a ocasião de abandonar o corpo mental e passar um rápido período no nível causal, que é o lar permanente do ego.

"Antes que eu lhe fale mais sobre esse assunto, proponho levá-lo, na noite de quarta-feira, até a segunda esfera do mundo mental, a fim de que possa ter uma compreensão mais clara do que estou tentando dizer-lhe. Então o senhor compreenderá não só minhas dificuldades presentes como, talvez, achará que, se tentar registrar as atividades dessa viagem, não encontrará palavras adequadas para expressar o que viu. Eu tornarei a visitá-lo na manhã de sexta-feira, e isso lhe dará três noites para continuar seus experimentos no mundo astral, embora eu o advirta, muito seriamente, de que não saia essa noite com qualquer intenção específica, mas que dê repouso a seu cérebro. Reserve a noite de quarta-feira para mim." — Acharya, então, se ausentou e eu permaneci sentado à minha escrivaninha, bastante atordoado com todas essas novas informações.

Na primeira noite dormi calmamente, e acordei muito descansado, sem recordar nada do que se teria passado durante o sono.

Na noite seguinte consegui encontrar Daphne com muita facilidade. Ela não tinha tido dificuldade em retornar à sua casa do Vale Maravilhoso; portanto, era de se presumir que houvesse adquirido suficiente força de vontade para capacitá-la a se locomover livremente de uma esfera para outra. Disse-me que, depois que eu parti, houve uma exibição de dança, inacreditavelmente bela, na qual os devas, os espíritos da natureza e até os pássaros tinham tomado parte. Quando se despediu do Chefe, ele lhe disse que ela seria bem-vinda a qualquer tempo em que voltasse a visitar o Vale.

Perguntei se ela se interessaria por ver mais de perto a Cidade Dourada. Como se mostrasse encantada com a idéia, ali mesmo nos demos as mãos e alcançamos o ponto de referência na quinta esfera, num espaço de tempo muito pequeno — parando, no caminho, no Vale Maravilhoso. As pesadas portas que pareciam feitas de ouro estavam fechadas, mas não trancadas, e nos foram abertas por um idoso cavalheiro, que poderia passar pelo mítico São Pedro. Perguntou-nos ele o que pretendíamos e nós lhe explicamos quem éramos, dizendo que a curiosidade era o objetivo principal de nossa visita. Ele não pareceu fazer objeções, e ofereceu um guia para nos mostrar os arredores.

As ruas pareciam pavimentadas com ouro puro, e as numerosas árvores, enfileiradas ao longo delas, carregavam-se de pedras preciosas. Essas formas-pensamento de diamantes, esmeraldas, rubis, pérolas, etc. eram muito belas, mas o efeito parecia-se mais a uma interminável fileira de árvores de Natal. Reparei que havia pelo menos uma igreja em cada rua, e fomos levados para uma delas; o guia declarou ser esta uma das menores igrejas católico-romanas. O santuário era uma peça de arquitetura muito bela, enquanto o altar principal poderia ter sido esculpido numa pérola gigantesca. Um músico que tocava órgão não era um expoente comum de sua arte. O guia nos convidou a visitar igrejas de outras denominações. Perguntei se as diferentes denominações continuavam separadas. Ele disse-nos que no mundo do Céu as diferentes seitas levavam vidas separadas e ministravam seus ensinamentos específicos, mas que nunca havia desarmonia, porque todos compreendiam que, por trás de todas as doutrinas, a verdade era a mesma, e que só as formas de expressão mostravam-se diferentes. Respondendo a uma pergunta que fiz, declarou-me que Deus reinava, supremo, e que de vez em quando visitava a Cidade Dourada. Ele não era visto pelos habitantes comuns, mas Sua voz era ouvida, vinda aparentemente de uma nuvem que o rodeava. Declarou que Cristo e seus doze Apóstolos ainda caminhavam pelas ruas, ensinando e pregando à multidão. Perguntei se ele não pretendera referir-se aos onze apóstolos, pois Judas seguramente não seria admitido no mundo do Céu. Assegurou-me, entretanto, que Judas pagara pelo seu crime sofrendo terrível remorso e criando para si próprio um verdadeiro inferno. Seu arrependimento fora notado e ele tivera permissão para se reunir aos discípulos, seus companheiros. Visitamos um anfiteatro, onde deveriam estar umas três mil pessoas reunidas, todas vestidas de branco, ouvindo um coro que cantava com acompanhamento de harpas e de um órgão de notas argentinas. Pareciam-se, essas pessoas, aos anjos das Escrituras, mas não vimos nenhuma delas sentada sobre nuvens, tocando harpa.

    Voltamos até a casa de Daphne, onde conversamos sobre nossas experiências. Mais tarde, estivemos com alguns de seus amigos.

    Na noite de quarta-feira eu estava à espera de Acharya e ele entrou no meu quarto exatamente às 10 horas. Cumprimentou-me, dizendo: — Se está pronto, vamos nos pôr a caminho. — E saímos.

    Viajamos pelo mesmo roteiro anterior; passamos pela aldeia da segunda esfera, a Academia da terceira, o Vale Maravilhoso da quarta, a Cidade Dourada da quinta e o lago da sexta. Nesse último ponto, eu tive tempo de ver que dois dos barquinhos estavam sendo usados, um do lado oposto do lago, e o segundo, próximo da abertura que dava para o lago pequeno. Tive que fixar a vista antes de perceber algum movimento, tal a lentidão com que eles se deslocavam. Esse local era, realmente, o refúgio ideal para quem estivesse à procura de solidão. Como eu ainda não havia visitado a sétima esfera e não tinha ponto de referência em que me fixar, Acharya disse-me que segurasse a sua mão. Quando o ambiente tornou a fazer-se claro, vi que estávamos no mais alto ponto de uma cadeia de montanhas que Acharya disse chamar-se "Vista para o Mundo", pois dali as pessoas podiam ver o mundo circundante, mundo no qual deveriam viver até sua próxima encarnação. Embora a zona rural fosse razoavelmente bem arborizada, com muitas flores desabrochando, não havia edifícios em parte alguma, e o local tinha uma aparência desolada. Disse-me meu amigo que uma porção de ascetas e homens virtuosos passavam grande parte de suas vidas sob essas condições. Fiquei satisfeito pelo fato de não ser o misticismo a minha linha preferida. Notei que havia duas pessoas, que pareciam ser um homem e uma mulher, flutuando suavemente ao longo do vale. Perguntei a Acharya quem seriam eles; e meu amigo respondeu: "Vamos ver." Flutuamos em sua direção. Quando os alcançamos, eles não diminuíram a marcha, que era um pouco mais rápida do que a de um passo a pé, e quando Acharya lhes dirigiu a palavra, eles não responderam. Eu também fiz uma pergunta à mulher, que voltou o rosto em minha direção, mas olhou através de mim sem dizer palavra. Seus olhos pareciam vazios e seu rosto não expressava animação. Flutuavam, ambos, fazendo um caminho que me pareceu circular. Meu guia disse-me que se tratava de cascas deixadas por dois indivíduos que haviam passado para o mundo mental.

Foi então que Acharya explicou que, a fim de viajar para o mundo mental, deveríamos deixar para trás nossos veículos astrais. Para ter certeza de que eles seriam corretamente cuidados e não cairiam sob a posse de qualquer entidade astral, Acharya propôs que os deixássemos sob a guarda de dois de seus amigos, nos quais podia confiar. Concentrou-se profundamente e, depois de cerca de um minuto, disse-me que eles estavam a caminho para vir ao nosso encontro. Quase que imediatamente, dois europeus, de aparência altamente intelectual e espiritual, flutuavam em nossa direção. Depois que trocamos cumprimentos, Acharya disse-lhes o que desejávamos que fizessem. Disseram-me que me deitasse de costas, com as mãos cruzadas sob a cabeça. Acharya fez o mesmo, porém com a mão direita sobre a minha testa. Disse-me que relaxasse e que tentasse tornar a mente vazia.

Conforme Acharya havia predito, estou considerando quase impossível descrever em palavras o que é o mundo mental. Parecia que dois ou três minutos se tinham passado desde o momento em que me haviam mandado relaxar, quando percebi que Acharya estava falando comigo, embora não estivesse usando palavras nem produzindo qualquer som. Abri os olhos e descobri que prevalecia uma espantosa imobilidade. Parecíamos suspensos no espaço, mas circundados por toda sorte de objetos enevoados, que podiam ou não podiam ser edifícios, paisagens e pessoas. Alguns desses objetos eram coloridos, mas nada parecia apresentar-se claramente. Todos eles, mesmo as formas que poderiam ser de homens, davam a impressão de modificar-se constantemente. Eu não os via com meus olhos, realmente, mas "sentia-os" de forma bastante diferente de tudo quanto experimentara até então. Podia ver as formas-pensamento que flutuavam atrás de mim, bem como podia ver as que estavam diante de mim; desse modo não tinha necessidade de me voltar e encarar um quadro em particular a fim de ver que tal era. Tudo muito misterioso e, se não estivesse em tão excelente companhia, eu teria ficado um tantinho assustado. A essa altura, Acharya estava me enviando pensamentos, que eu recebia tão claramente como se ele me falasse, e era óbvio que ele recebia minhas respostas, assim que eu as expressava em minha mente. Disse-me ele que aquela era a mais baixa esfera do mundo mental, povoada, em sua maior parte, por entidades de desenvolvimento mental muito pequeno. Mostrou-me as formas-pensamento de várias pessoas que viviam naquele nível. Eram criaturas fugazes, sem qualquer aparência de solidez. Muitas mal poderiam ser descritas como formas concretas, pois eram pouco mais do que fumaça ou nuvem, com aparência de forma humana, mas que, devido à sua carência de densidade, não retinham os mesmos contornos por todo o espaço de tempo. Já vi formas parecidas se delinearem, quando observava a fumaça lançada pelo fogo, fumaça que instantaneamente se desvanece pela chaminé acima. Sob essas condições do plano mental, Acharya aparentava ser muito maior do que nos mundos físico ou astral, e surgia bem recortado e muito mais sólido do que qualquer das entidades cujas formas flutuavam diante dos meus olhos. Sua aparência naquele ambiente capacitou-me a apreciar a comparação que ele fizera: o corpo mental de um homem não evoluído e o cesto em início de fabricação, e o corpo mental do homem mais evoluído e o cesto já terminado.

Acharya me disse que me conservasse junto dele. Colocou a mão no meu ombro — embora eu não lhe sentisse o toque — e disse que agora íamos passar para a segunda esfera. Sem que eu tivesse qualquer sensação de movimento, tal como se dera antes, o cenário se transformou, como poderia acontecer na tela de um cinema. Nosso novo ambiente não se mostrava muito diferente daquele que tínhamos deixado, com a diferença de que as formas que ali flutuavam tinham contornos mais claros.

Acharya disse-me que escolhesse um assunto sobre o qual desejasse conversar com um dos habitantes permanentes, para o que eu deveria enviar pensamentos ao éter, pedindo que alguém interessado naquele mesmo assunto entrasse em contato comigo. Sem pensar muito, escolhi, como assunto, as religiões comparadas. Imediatamente, através de formas-pensamento, a resposta veio na forma de uma pergunta sobre a que religião eu pertencia. Meu pensamento respondeu que era a católico-romana, embora eu não fosse muito praticante. O pensamento-resposta disse que todas as religiões tinham seus usos, dado o fato de capacitarem pessoas que não podiam manter-se sozinhas a ter algo em que se apoiar e, na maioria dos casos, atuavam como guias em decisões que as pessoas deviam tomar durante a existência. Cada religião tivera início com um propósito específico, mas, basicamente, as verdades eram todas as mesmas.

Esse pensamento explicou que a tônica do Cristianismo era o amor, e que, de acordo com sua filosofia, o homem só poderia evoluir através do amor por seu próximo e sendo tolerante para com as opiniões e ações dos outros homens. A religião iniciada pelo Senhor Buda era apenas uma filosofia, tão bela como a pregada por Cristo — sendo a sabedoria a tônica do budismo. Conforme seus ensinamentos, a coisa mais importante na vida é agir de acordo com a *lei do carma,* através da qual o homem sofre ou recebe benefícios segundo suas ações, pensamentos e palavras. A tendência dessa religião é eliminar a emoção. A grande religião conhecida como Hinduísmo, que foi revivida por Shri Krishna há cerca de dois mil anos, teve como tônica a limpeza e a *conduta disciplinada.* Seus membros ortodoxos faziam abluções especiais, a determinados intervalos. O Islamismo, fundado por Maomé, tem como tônica a *coragem* e, de fato, seus seguidores não carecem dessa virtude em particular. O Zoroastrismo, religião dos parses, foi evoluindo gradualmente, através das muitas encarnações de Zoroastro. O fogo era seu símbolo sagrado e sempre foi considerado elemento de purificação. A tônica dessa religião é a *pureza.* Seus membros chegavam a ponto de dizer que o fogo não devia ser profanado para acender cigarros ou cachimbos. Meu interlocutor criticava o proselitismo sob qualquer forma, e recomendou-me que nunca tentasse modificar a fé de uma pessoa, a não ser que estivesse perfeitamente *seguro* de que essa pessoa estava procurando algo novo e havia perdido o interesse pela religião sob a qual tinha nascido. Disse, ainda, que jamais pudera compreender um ateu, porque ninguém poderia estar seguro de que não havia vidas passadas ou futuras, mas que simpatizava com os agnósticos, que eram pessoas honestas, apenas desejosas de serem convencidas, caso encontrassem argumentos que as satisfizessem. Era uma pena essas pessoas não compreenderem que a maioria das doutrinas religiosas relacionadas com as condições não-físicas jamais poderiam ser provadas através de experimentos no plano físico.

Eu gostaria de ter discutido sobre outros assuntos, mas meu guia disse-me que terminasse a conversação, pois a que tivera já era suficiente para uma noite e talvez muito mais do que poderia reter quando na consciência física.

Perguntei se havia música naquele plano e Acharya respondeu indagando qual era minha sinfonia predileta. Disse-lhe que era a Sinfonia Coral de Beethoven, a Quinta, e ele me aconselhou a fazer a forma-pensamento do movimento preferido pois eu iria ter uma surpresa, provavelmente. Pensei, é claro, no belo movimento coral e, no mesmo instante em que pensava, ouvi a música de que tanto gostava, e que parecia vir de toda parte, a nosso redor. Extasiado, ouvi até as notas finais que encerravam o belo trabalho. Acho que jamais esquecerei essa música. A interpretação era muito mais perfeita do que qualquer coisa que eu pudesse ter imaginado sob as condições do mundo. A pureza das vozes e a perfeição dos músicos estavam além de tudo quanto eu poderia ter concebido como possível.

Acharya disse-me que não adiantava tentar reter qualquer ponto de referência, pois seria impossível para mim voltar a visitar o mundo mental no meu presente estágio de desenvolvimento. Preparamo-nos para regressar, da mesma forma pela qual tínhamos vindo e, depois de um momento, como que acordei em meu corpo astral, ainda deitado, na posição em que partira, com os dois auxiliares astrais "de guarda". Ambos sorriam ao ver a consternação do meu rosto, mas eu ainda me sentia extremamente perplexo diante de tudo quanto tinha visto. Então, despediram-se, cumprimentando-nos polidamente, e se afastaram. Logo depois, acordei em minha cama e vi que eram 3 horas e um quarto. Levantei-me, e registrei o que ainda estava claro em minha mente.

Na noite seguinte, antes de adormecer, resolvi que iria ver como ia Mary, mas, ao sair de meu corpo, vi que Charles estava no meu quarto. Ele não tinha planos para sugerir. Assim eu lhe perguntei se gostaria de ir comigo à enfermaria do hospital de Londres, pensando que a experiência lhe seria útil. Ele concordou, e nos pusemos a caminho. Chegando à enfermaria, encontramos Mary bem acordada. Tentei sugerir a Charles que, enquanto esperávamos que a moça saísse de seu corpo, poderíamos ir até a terceira esfera e visitar Daphne. A proposta não o interessou, em absoluto; por isso ficamos rodando pelas enfermarias até que, voltando, encontramos Mary, que adormecera e se destacara de seu corpo.

Disse-me a jovem que as coisas tinham andado bem melhores para ela desde que me vira pela última vez e que Irene recordara, mais do que ela própria, muito do que eu dissera naquela ocasião. Mary estava passando as noites no velho lar, com a mãe e a irmã, mas não se lembrava de muita coisa do que se passava. Disse-lhe que, futuramente, a qualquer momento em que desejasse meu auxílio, pensasse com firmeza em mim e eu me esforçaria por atender.

O único comentário de Charles sobre o caso foi o de que Mary era muito bonita! Sugeriu que passássemos juntos o resto da noite, conduzindo-me ele para uma "chispada", pois sempre desejara mostrar que, pelo menos numa coisa, era mais experiente do que eu. Concordei, e ele produziu a forma-pensamento de um *Pussmoth* de dois lugares, no qual levou-me por sobre toda a Austrália, explicando o mecanismo do avião durante o caminho. Enquanto estávamos ainda sobre aquele continente, senti o chamado, já então familiar e, deixando o avião em pleno vôo, vi-me de volta a meu corpo, em Colombo.

Capítulo 11

Acharya chegou dez minutos antes da hora habitual, enquanto eu estava terminando o desjejum. Eu levara um tempo enorme para datilografar os detalhes do que havia acontecido durante a semana, e não ousara barbear-me ou mesmo tomar banho antes de terminar o trabalho, não fossem desaparecer as lembranças das atividades da última noite, perdendo-se, assim, parte delas. Ele não pareceu se incomodar por não me encontrar pronto para recebê-lo. Desculpou-se por vir adiantado, sentou-se no tapete, no lugar de sempre, perguntou-me se podia ler as notas que eu havia tomado. Entreguei-lhe as páginas datilografadas, com os pormenores das minhas experiências desde que ele me visitara, na última segunda-feira, e perguntei-lhe por que desejava vê-las, já que eu tinha certeza de que ele sabia muito bem tudo quanto eu estivera fazendo.

Acharya respondeu: — Sim, estive em contato com o senhor pois recebi permissão para me vincular consigo pelo pensamento durante o período em que for responsável pelo seu ensino. Depois disso, o vínculo entre seu corpo mental e o meu romper-se-á de imediato, pois não temos permissão para ver dentro da mente alheia, a não ser em circunstâncias muito especiais, semelhantes às que se relacionam com nossa amizade durante as duas semanas passadas. Cada homem é responsável, diante de si próprio, e diante do Criador por aquilo que faz e, como sabe, é recompensado, ou tem de sofrer, de acordo com os pensamentos expressos e as ações realizadas. Pedi para ler suas notas, porque desejo saber quanto se lembrou de tudo o que fez e, sem ler seu registro, não posso ter essa informação.

Leu, com cuidado, até o fim, e continuou: "Seu relatório relativo à noite de terça-feira está bastante bom, porque recordou muito do que aconteceu durante sua visita à Cidade Dourada. Contudo, o senhor se esqueceu de algo indispensável: não mencionou que seu guia levou-os aos arredores da cidade e mostrou-lhes um aglomerado de pessoas que ouviam uma forma-pensamento criada por elas, representando Cristo a lhes dirigir a palavra. Tanto o senhor como Daphne ouviram, durante um pequeno espaço de tempo, o que estava sendo dito. O senhor comentou com seu guia que tudo quanto aquele Cristo estava dizendo achava-se registrado nos diferentes evangelhos do Novo Testamento. Isso, em si mesmo, teria sido prova suficiente de que não era o grande Ser, conhecido como Cristo, quem estava falando, mas apenas a expressão daquele fundador da fé cristã, que era parte dos pensamentos e das mentes de Seus mais fiéis seguidores. Estou certo de que, se fosse o Cristo quem ali estivesse — Ele ainda vive e ainda controla o desenvolvimento espiritual deste planeta — a impressão do que dissesse não teria se apagado tão facilmente de sua memória. Pergunte a Daphne sobre esse caso, quando a vir. Ela por certo há de se lembrar.

Estou satisfeito com a descrição que fez da experiência da noite de quarta-feira, pois está melhor do que eu esperava. Avisei-o sobre as dificuldades que encontraria para encontrar palavras que expressassem as atividades mentais, mas penso que todos quantos lerem seu registro compreenderão um tanto do que tentou descrever. Estou satisfeito, certamente, por ver que compreendeu a maior parte do que tentei lhe dizer quando da minha última palestra.

"Suas peregrinações da noite passada pedem poucos comentários de minha parte. Têm seu valor, entretanto, porque agora o senhor compreende que precisa considerar a opinião das outras pessoas e, muitas vezes, acomodar-se a elas, tanto no plano físico como no plano astral. Tenho certeza de que Mary, sua protegida, chamará pelo senhor num futuro muito próximo, e sei que se esforçará por assisti-la nos muitos problemas que terá de enfrentar. Será uma excelente experiência para o senhor.

"Hoje faço minha última palestra, e devo primeiro falar-lhe da 'terceira morte' e do que acontece ao ego depois que ele descartou seu veículo remanescente de consciência, o chamado corpo mental, e vive, durante certo período, envolvido pelo único veículo permanente que possui — *o corpo causal*. Quero que ouça isso com muito cuidado, porque muitos estudantes parecem considerar difícil a apreciação destas informações.

A terceira morte é muito semelhante à passagem do mundo astral para o mundo mental, porque o homem aos poucos vai perdendo a consciência, e, tendo deslizado para fora do corpo mental, encontra-se no que é o seu corpo causal. O corpo causal é assim chamado porque só age no que é denominado nível causal, formado pela sexta e sétima esferas do mundo mental. É conhecido como o veículo *permanente* do homem, porque o homem o possui desde que se individualizou, saindo do reino animal e tornando-se uma entidade humana separada.

"O nível causal é o lar natural do ego; ali ele permanece durante os períodos a que chamamos de encarnações, quando *parte dele próprio está se manifestando* em níveis mais baixos de consciência e ganhando a experiência indispensável para libertar o ego da necessidade de renascer e tornar a renascer em diferentes corpos físicos.

"O corpo causal se modifica a cada vida, apenas pela adição da experiência que o homem acumulou durante sua última encarnação; por este motivo, às vezes nos referimos a ele como *reservatório de conhecimento*. Um homem evoluído pode abrir esse reservatório à vontade, e dele retirar, para o nível físico, as experiências de suas vidas passadas. Isso o livra da necessidade de ter de aprender certas coisas cada vez que tem um novo cérebro físico, porque, em si mesmo, o cérebro não tem lembrança de experiências passadas. Por essa razão, o homem evoluído tem grande vantagem sobre o irmão menos evoluído — mas cada um de nós estará em posição igual quando alcançar esses estágios de desenvolvimento. A lição mais importante que temos a aprender é que só através de nosso próprio esforço podemos progredir.

"Se esses assuntos fossem compreendidos e ensinados com a devida adequação por aqueles que dizem ser auxiliares da humanidade, dar-se-ia mais atenção aos mesmos. Poucos dentre nós estão em condições de conceber o fato de que a *personalidade* discernível no nível físico é apenas *minúscula parte do homem real* — o ego — e que esse ego, ou *individualidade*, ultrapassa e guia essa personalidade com o máximo de sua potência, dentro dos limites permitidos pelo livre-arbítrio, outorgado a todos os homens quando alcançam o padrão de entidade humana.

"No nível causal, o passado, o presente e o futuro são na realidade uma só coisa. Deixe-me dar-lhe um exemplo do plano físico, para ilustrar o que acabo de dizer. Imagine, por um momento, um rio que se torce e se curva a cada cem metros. Um homem estacionado no convés de um barco fluvial, o qual fosse lançando nuvens de fumaça pelo itinerário a ser feito, poderia ver apenas o trecho do rio em que o barco navega no momento. O trecho que fica para além da curva, à retaguarda, é invisível para ele; o mesmo acontece com o curso do rio que fica além da próxima curva para a qual o barco vai sendo agora guiado. Suponhamos que outro homem esteja fazendo o mesmo caminho num helicóptero. Esse homem veria todo o curso do rio numa longa extensão: tanto o caminho percorrido pelo barco quanto o ainda a percorrer, assim como o lugar em que está no momento em que o observa. Para esse homem, a paisagem pela qual passou o barco é tão visível quanto a paisagem que os olhos dos passageiros vêem naquele momento, ou que verão em futuro próximo. Para ele não há passado nem futuro: tudo de fato é presente. O homem não evoluído e o homem evoluído assemelham-se ao passageiro do barco e ao do helicóptero.

"No nível causal, o ego vê um registro completo de sua vida passada, numa série de quadros, mais ou menos como os episódios num projetor de filmes. Esses quadros mostram-lhe, exatamente, onde acertou e onde errou, em suas vidas passadas. Mostram também o que sua próxima vida *pretende* fazer por ele e que modificações em seu caráter devem ser conquistadas antes que um progresso ulterior possa ser obtido. O homem não evoluído vê tudo isso, mas, devido à sua limitada inteligência, não apreende sua significação da mesma forma como o faz a pessoa intelectualizada. Ele se parece ao passageiro do barco fluvial. Por outro lado, o homem evoluído, tal como o homem que viaja de helicóptero, vê imediatamente *por que* cometeu erros na vida passada, e não apenas o resultado desses erros. Resolve que não falhará da mesma maneira em sua próxima vida. Assim, as lições aprendidas através desses quadros passam a fazer parte da estrutura de seu átomo permanente — esse reservatório de conhecimentos que contém a essência de suas experiências em todas as suas vidas anteriores. E quando, numa vida futura, chega o tempo em que deve tomar decisões de problemas semelhantes, a voz da consciência, que é o aviso a ele enviado pelo ego, falando do plano onde existe o reservatório de conhecimentos, garante-lhe que erros idênticos não serão cometidos uma segunda vez. Compreende então por que é bom que ele renasça num determinado grupo de pessoas, ou numa nação, pois através desse nascimento ele pode conseguir o ambiente de que necessita. Por essa razão, jamais há falta de cooperação de sua parte, quando lhe mostram vida futura. Sabe muitíssimo bem que a vida arranjada para ele é a que melhor convém, como garantia de seu maior progresso. Obter isso no mais curto espaço de tempo possível é o que todo ego deseja.

"Embora todos nós gozemos o tempo vivido no nível "egóico", temos que deixá-lo novamente, em obediência à lei de evolução. Todos nós desejamos sair, quando chega a nossa vez, pois sentimos dentro de nós o anseio de maiores expressões e experiências. Sabemos que o progresso, em nossa evolução, só pode ser adquirido através de incontáveis vidas, vividas no mundo físico. Compreendemos que não podemos responder integralmente às vibrações que governam o mundo causal enquanto não tivermos evoluído para um estágio em que não mais nos será necessário renascer. Esse tempo chega quando tivermos aprendido todas as lições que a vida no plano físico nos pode ensinar; então nossa atenção é atraída para outras esferas de atividade, muito além dos níveis físico e astral. Os egos que alcançam esse estágio de perfeita qualidade humana resolvem, às vezes, por sua própria iniciativa, permanecer em contato com os níveis mais baixos, apenas em razão de seu grande amor pela raça humana e pelo desejo de ajudar a humanidade em sua evolução. Ainda bem que existem essas grandes almas, porque, de outra forma, o progresso da humanidade seria muito mais lento do que o é presentemente.

"Minha descrição do método de descida para o renascimento não deve, agora, parecer-lhe difícil de entender, se recordar minha analogia anterior. O ego despido deve vestir-se mais uma vez — em outras palavras, recebe três novos corpos, através dos quais pode funcionar nos planos de consciência relativos a eles. O primeiro corpo que ele deve receber é feito de matéria mental (suas roupas íntimas) e, a fim de conseguir isso, ele volta sua atenção para o átomo permanente, no qual, conforme recordará, reteve as moléculas correspondentes a todas as esferas que existem no nível mental. Tomando o átomo mental, ele o vivifica, e começa a atrair em torno de si outros átomos mentais, tirados da matéria que existe no nível mental, da mesma forma por que um cristal, ao cair numa solução, fará com que outros cristais se formem ao seu redor.

A matéria atraída toma a forma de seu último corpo mental — aquele que abandonou ao fim de seu estágio no nível mental — com uma pequena diferença: é um veículo mental de consciência melhor do que o anterior, porque inclui os resultados de seus esforços mentais na encarnação passada. Ele retorna para essa vida nova com um corpo mental que contém todo o conhecimento que construiu em suas vidas passadas, mas ainda não tem qualquer conhecimento a respeito dos assuntos que até então deixou de estudar. Isso mostra por que, neste mundo, os homens diferem tanto uns dos outros. Seus intelectos são diferentes, porque possuem diferentes graus de corpo mental. Portanto, um homem possuidor de intelecto excelente, adquirido através de experiências de muitas vidas, jamais se deve aproveitar de outro com menos experiência do que ele próprio. Sua tarefa é ajudar, e não embaraçar seus irmãos mais novos.

"Depois de criar para si mesmo um novo corpo mental, ele dá mais um passo à frente. Volta sua atenção para o átomo astral, e vivifica-o. Esse átomo, imediatamente, reúne em torno de si outra matéria astral, exatamente da mesma qualidade que ele tinha em seu último corpo astral, quando o abandonou. Isso significa que todo o progresso emocional que ele obteve em sua última vida está incluído em seu novo corpo astral (seu terno) que irá servi-lo nessa nova existência. Esse novo corpo contém em si os resultados do trabalho por ele realizado durante os anos em que viveu sob as condições do plano astral. Por exemplo: se estudou música de uma forma profunda terá um anseio, em sua próxima vida física, para dedicar-se à música, ou por profissão ou por distração, e o desenvolvimento desse talento musical lhe será muito fácil. O novo corpo astral é muito mais sensível do que o antigo, isto é, tem capacidade para registrar emoções mais fortemente do que o corpo que o precedeu.

"Também se faz necessário um corpo físico (seu sobretudo). Esse é adquirido através do nascimento normal numa família deste mundo. O corpo não é necessariamente de tipo melhor do que o da última encarnação, e depende muito do que o ego terá de aprender em sua nova vida. Assim, o corpo dado é o de que ele necessita naquele momento. A primeira decisão a ser tomada relaciona-se com as modificações de caráter que devem ser realizadas. A resposta a essa necessidade decide vários assuntos, o primeiro dos quais é o da nação na qual o ego irá renascer — pois cada nação tem suas qualidades específicas. Já que o senhor é inglês, tomaremos sua nação como exemplo. A dedicação ao dever é, talvez, a mais notável qualidade do caráter britânico. Se o ego que vai reencarnar se recusou, em sua vida anterior, a enfrentar dificuldades — e pode até ter sido tão covarde a ponto de chegar a cometer suicídio em uma de suas vidas passadas — ele carece, obviamente, das fortes qualidades que fazem parte da nação britânica, de modo que uma vida como membro naquele grupo de famílias, indubitavelmente, irá introduzir no caráter desse indivíduo o de que ele necessita no momento. Ao fim dessa vida, seu caráter terá sofrido considerável transformação. Depois de tomada a decisão quanto ao país no qual o ego irá nascer, torna-se necessária a escolha de uma família conveniente, naquela nação, e isso é assunto complicado, cujos pormenores requerem muita atenção. Trata-se de uma solução que jamais é deixada ao sabor do acaso. Embora existam dezenas de famílias que lhe poderiam dar o ambiente de que necessita, pode-se tornar impossível que esse ego seja considerado para muitas delas, em conseqüência de suas ações no passado terem sido tais que não mereça o privilégio de nascer em circunstâncias tão desejáveis. Escolhe-se uma família através da qual ele entre em contato com algumas das vinculações pessoais que teve no passado. Essas vinculações são feitas pelo amor, o ódio, o casamento, o parentesco, sendo pai de um filho ilegítimo, abandonando a mulher em má situação, e assim por diante. Qualquer desses carmas deverá ser trabalhado. A questão da hereditariedade é outra decisão que tem de ser tomada, e considera-se que o ego deve ter saúde ou sofrer doenças, se deverá ser simpático ou não, e qual o tipo de cérebro apropriado. Os pais são considerados pessoalmente para se avaliar se são adequados, o mesmo se dando com seus próprios pais e respectivos cônjuges. Avalia-se que o ego deve nascer de uma mãe que *deseja* um filho, e lhe dará, portanto, tudo quanto estiver a seu alcance para proporcionar-lhe um adequado início de vida, ou se de pais que o tratarão como um ego à parte, considerando suas aptidões quando criança, como a que se revela pelo anseio de estudar música — que pode ter adquirido em sua última visita astral ou se nascerá de pais que o frustrarão, não se preocupando com esses anseios e interferindo em seus movimentos, mesmo depois que se torne adulto, ou, ainda, de pessoas que mostrarão tolerância em relação a religiões ou de pessoas que façam exatamente o contrário.

"Feitos esses arranjos, e escolhido um adequado momento astrológico, a criança nasce. Agora, é tarefa do ego vencer os obstáculos do nascimento e do ambiente em que foi colocado. Às vezes, homens que foram anteriormente líderes de uma nação, nascem em lares pobres e frustrados. O homem que consegue vencer os obstáculos colocados em seu caminho se associará com uma família de altos princípios, em circunstâncias desejáveis, quando seu caso é novamente considerado para uma vida ulterior no mundo físico.

"Antes de concluir, devo tocar no assunto vital da educação da criança. A partir do que lhe tenho dito, o senhor pode compreender que um ego pode ser grandemente ajudado ou prejudicado em sua evolução pela atitude que os pais adotem em relação a ele. Relativamente, há tão poucas pessoas atentas às necessidades das crianças, que agora se vai tornando difícil encontrar famílias convenientes para essa tarefa de guiar egos adiantados em suas viagens.

"Para que possa avaliar a extrema importância da educação das crianças, mencionarei primeiro alguns fatos indispensáveis, relativos ao desenvolvimento humano.

"O desenvolvimento do homem é dividido em períodos de sete anos, cada qual marcado pelo aparecimento de um novo poder ou qualidade. Essas etapas estão intimamente ligadas às atividades desenvolvedoras das glândulas endócrinas no corpo físico. O que se chama "nascimento" é, realmente, apenas o nascimento do corpo físico visível, que chega ao seu alto estado de eficiência em prazo mais curto do que os corpos invisíveis do ego. O feto vive dentro do útero protetor da mãe durante a gestação. Da mesma maneira, os veículos sutis — os corpos etérico, astral e mental, cuja compreensão parcial me esforcei por lhe transmitir nestas palestras — vivem dentro dos envoltórios protetores de éter, da matéria de desejo e da matéria de mente, dentro do útero do Universo ou da Natureza, até que estejam suficientemente maduros para enfrentar as condições do mundo. O desenvolvimento físico no útero não pode ser apressado, da mesma maneira não se tenta apressar o desenvolvimento dos corpos não-físicos enquanto ainda estão protegidos dentro do útero da Natureza. Só devem ter permissão para progredir quando a criança recebe uma orientação adequada. Os pais, portanto, devem preparar-se para serem guias, conselheiros e amigos de seus filhos, até que eles atinjam a idade de vinte e um anos, ocasião em que seus corpos mentais se encontram em condições de se dirigirem a si próprios. Então, para que a criança se torne um adulto possuidor de autoconfiança, *todo o controle paterno deve cessar*. Dali por diante os pais só devem dar conselhos quando forem solicitados, já que têm maior experiência. Manter um adulto preso "à barra da saia" é coisa que fazem freqüentemente, sob um outro pretexto, os pais egoístas, com o prejuízo próprio e o dos filhos.

"Os primeiros três períodos setenais do desenvolvimento do homem são marcados pelo nascimento, ou pela complementação do corpo etérico aos sete anos, a época da segunda dentição; o corpo astral e mental aos catorze anos, e a época da puberdade; enquanto o corpo mental, que completa o homem, não entra em atividade integral até a idade de vinte e um anos. Na criança recém-nascida, só estão ativas as qualidades negativas desses corpos e, antes que ela possa fazer uso integral de seus diferentes veículos, as qualidades positivas de cada um deles devem amadurecer. Durante os primeiros sete anos de vida, as forças que atuam ao longo do pólo negativo do éter estão ativas; por isso as crianças dessa idade, como médiuns, têm clarividência do mesmo caráter negativo. Por essa razão, é bastante comum as crianças terem companheiros de brinquedo invisíveis para os adultos. Mais tarde, da mesma maneira, as forças que trabalham no corpo de desejo dão uma capacidade passiva para a sensação, até que as qualidades positivas se desenvolvam. As emoções também se manifestam livremente por essa altura, e são de qualidade fugaz, jamais duradouras. Os anos entre os catorze e os vinte, quando a natureza de desejo é turbulenta e descontrolada, são, talvez, os mais difíceis que os pais têm a enfrentar, pois que nessa época devem usar da mais completa tolerância e compreensão. As crianças são extremamente sensíveis às forças que trabalham junto ao pólo negativo da mente. Essa é a razão pela qual se mostram tão imitadoras e ensináveis, e é preciso tratar com elas de modo compreensivo, até que as qualidades positivas se manifestem. Assim que isso acontece, o ego está pronto e ansioso por ficar só, o que lhe deve ser permitido. Cometerá erros — todos nós os cometemos — e essa é uma das formas mais importantes de aprender nossas lições.

"Nos dias primitivos, quando o homem apareceu sobre a Terra, recebeu pouca assistência por parte de seus pais, que, por sua vez, tinham experiência insuficiente da evolução para que pudessem dar auxílio a outrem. Nas condições atuais, entretanto, as coisas são diferentes, tanto que a paternidade deveria ser vista como ciência, cujo estudo é necessário para todos. Os pais, adeptos do controle da natalidade e que têm apenas dois ou três filhos para cuidar, que dispõem do tempo necessário para estudar e que se sentem preparados para fazer isso, podem adquirir para si próprios o conhecimento através do qual se tornem guias convenientes para as crianças. Os pais devem compreender que as crianças não são brinquedos que lhes foram dados para fazerem delas o que quiserem, mas que são o seu próximo, seres confiados a seus cuidados e orientação, pelos Poderes Existentes. A adequação da orientação dada a esses seres é uma das mais importantes tarefas que a humanidade é chamada a realizar. Sob a lei do carma, os pais são considerados responsáveis pela maneira com que fazem seu trabalho, e sua própria viagem junto ao caminho da evolução pode ser apressada ou retardada em conseqüência disso.

"Todas as jovens normais sonham com o casamento, o lar e seus próprios filhos. Isso é bom porque é de primordial importância que uma criancinha seja criada em lar onde é amada e *desejada*. Para que sejam donas de casa eficientes e boas, entretanto, as moças devem, *antes do casamento*, dar atenção a assuntos referentes à ordem de sua casa e à rotina doméstica; ao uso do dinheiro, de forma a valorizá-lo ao máximo, à seleção, preparação e cozimento de alimentos nutritivos; devem compreender a importância do sono e do repouso suficientes; os benefícios derivados do ar fresco e do sol, e a importância da cultura, tanto física quando mental. Mas, para serem boas mães, precisam estudar ainda mais profundamente, pois começarão a pesquisar sobre alguns dos mistérios da Natureza. Nesse estudo, não deveriam estar sós, pois as responsabilidades da família precisam ser compartilhadas igualmente pelos pais e pelas mães. Cada qual tem sua parte a fazer e uma contribuição a dar na educação dos filhos. Uma paternidade sensata só pode ser praticada por pais que tenham, pelo menos, algum estudo sobre o desenvolvimento humano, e que estejam dispostos a fazer sacrifícios pessoais. Para realizar adequadamente as tarefas que lhes cabem, os pais devem estar preparados a ensinar *pelo seu próprio exemplo*, porque não há quem goste mais de imitar do que uma criança — na realidade, a imitação é o método principal do crescimento. — Desse modo, os pais devem esforçar-se para jamais fazerem o que não desejam ver copiado.

"Na orientação do desenvolvimento emocional de uma criança há dois assuntos que devem ser livremente discutidos no lar, desde os mais tenros anos: um é o sexo e o outro é a religião. Em sua preparação para a paternidade os pais terão estudado a biologia relativa aos reinos vegetal, animal e humano; portanto, não terão dificuldade em dizer a uma criança quais os princípios da reprodução nos diferentes reinos, de acordo com sua idade e entendimento. Para os muito novos, eles podem inventar fascinantes histórias de fadas relacionadas com o reino vegetal. Podem mostrar às crianças os pistilos das flores, que compararão às moças, e os estames das flores, que compararão aos rapazes. Podem mostrar-lhes o pólen nas anteras e os reservatórios de pólen nas patas das abelhas.

Da mesma maneira, a religião deve ser tratada de forma comum. Não se pode esperar que uma criança compreenda as doutrinas e dogmas das diferentes religiões. Isso pode esperar até que ela atinja a idade de pensar por si mesma. A instrução religiosa, aplicável na época em que estamos e na que está para vir, é encontrada na vida e nos ensinamentos de Cristo, durante sua estada na Terra, no corpo de Jesus, na vida e nos ensinamentos do Senhor Buda e de outros Fundadores de Religiões. Se todos nós nada mais conhecêssemos ou apreciássemos além disso, teríamos esplêndidos padrões sob os quais viver. Portanto, que o ensino da religião aos jovens seja o dos grandes dramas da vida desses Mestres — vidas que foram sublimes lições acerca das possibilidades do homem. Tal como nas instruções sobre o sexo, estas devem ser apresentadas numa forma adequada ao estágio de compreensão da criança, através de uma Bíblia, de histórias escritas em linguagem simples e, acima de tudo, pelo exemplo dos pais. Se os pais conhecem e põem em prática o Sermão da Montanha, seus filhos mostrarão aqueles "padrões de reação à vida" que lhes servirão de sólido alicerce para a compreensão do Amor Universal e da Universal Fraternidade.

"Os pais que adquiriram tolerância e compreensão ensinando a si próprios ver através dos olhos dos filhos, abordam as coisas desse ponto de vista, tocam com seus dedos, indagam com suas mentes e estarão, quando sua tarefa de educadores junto dos filhos estiver terminada, na melhor posição para chegar a conhecer a si próprios e para ajudar o próximo com tolerância e sensatez, o que deve ser sua tarefa nesse período de seu desenvolvimento — tarefa que, por sua vez, faz vir à tona as qualidades positivas de sua estrutura espiritual.

"Pude dar-lhe apenas um rápido esboço da importância da orientação paterna e dos exemplos na educação das crianças. Pelo tempo que tenho à minha disposição, não me é possível entrar mais profundamente na questão dos métodos dessa educação. Tudo quanto posso fazer é enfatizar que nunca, em tempo algum, houve tão grande necessidade dessa educação do que no mundo de hoje. Se os pais continuarem a fugir às suas responsabilidades, se não quiserem sacrificar seus "prazeres", a fim de assumir a tarefa da paternidade, e se continuarem a existir tantos lares desfeitos como existem agora, lares nos quais o amor e a compreensão necessários para essa tarefa já não estão presentes, então é preciso que se determine se a educação de crianças, por grupos de idade, feita em instituições, por pessoas treinadas e compreensivas, não seria, talvez, a solução mais sensata para esse problema. Trata-se, pelo menos, de um campo de pesquisa que terá de ser explorado. É natural, existem argumentos que podem ser trazidos em defesa de ambos os sistemas, mas, se a decisão for favorável à educação no lar, então é positivamente necessário que se dêem alguns passos no sentido de que os pais sejam mais instruídos e mais sensatos.

"Satisfaz-me o fato de que o senhor está ciente de que não nos encontramos no mundo por acidente. O senhor compreendeu quantas vidas são necessárias no plano físico se quisermos ganhar experiência suficiente para nos libertarmos dos contínuos nascimentos e mortes. Teve a prova, por si mesmo, de que a morte, temida por tantos, neste mundo, é uma simples passagem de um estado de consciência para outro, e que essa passagem não deve ser temida por ninguém, embora, às vezes, seja precedida de muita dor física. Está ciente de que as desigualdades da vida não são causadas pelo fato de um Divino Criador favorecer mais a uns do que a outros, mas que essas desigualdades são devidas aos diferentes estágios em que o homem se encontra naquele momento de seu caminho para a perfeição, ou são causadas por ações insensatas por parte dos indivíduos, em existências anteriores. Estou certo de que compreende que nenhum trabalho realizado neste nível é perdido, pois ao fim de cada encarnação levamos nossa colheita, que se tornará parte do átomo permanente, nosso reservatório de conhecimentos.

"Hoje, depois que eu o deixar, o senhor será uma vez mais o único árbitro de seu destino. Espero que continue a manter o vínculo reatado entre o senhor e Daphne, porque pode ajudá-la em muitas coisas, e ela também pode ajudá-lo. Estão, ambos, destinados a trabalhar juntos numa vida futura e, quanto mais vierem a entender um ao outro agora, mais progresso conseguirão quando chegar o tempo em que tornarão a viver juntos sob as condições do plano físico. É possível até que, antes de passar para o próximo nível, o senhor venha a encontrar alguém deste mundo, alguém por quem se sentirá atraído e com quem desejará casar-se. Se isso realmente acontecer, explique a Daphne o que deseja fazer, porque a decepção tem suas repercussões, mesmo no caso de uma pessoa que vive no plano astral em relação à outra que viva no plano físico. A decepção quase nunca é sensata, pois cria dificuldades que, para serem erradicadas, podem exigir muitas existências.

"Acho que não continuará a se preocupar com Charles. Como o seu ego é mais velho que o dele, seria difícil para seu irmão segui-lo ao longo do caminho que o senhor imagina ser mais apropriado para ele, mas ainda pode ajudá-lo e, provavelmente, estará ligado a ele numa vida futura, pois o amor cria vínculos muito fortes. Não esqueça as responsabilidades que assumiu em relação a Mary, pois, embora eu creia que não serão de forma alguma pesadas, ainda assim não devem ser negligenciadas, pois que aceitou essa oportunidade. O auxiliar astral a quem o senhor chama de Jim pode ser muito útil para o senhor, e o senhor para ele; cultive, portanto, essa amizade sempre que se lhe ofereça a oportunidade. Lembre-se de que o conhecimento que lhe foi dado não o foi para seu uso exclusivo. O senhor tem uma responsabilidade para com os menos afortunados do que o senhor, e confio sinceramente em que não se esquecerá disso. Todo o conhecimento verdadeiro deve ser compartilhado, e não apenas mantido para benefício especial de seu possuidor. E eu lhe asseguro que não só se sentirá mais feliz compartilhando com outros o seu conhecimento, como também eles se beneficiarão com sua assistência. Verá que muitos daqueles aos quais oferecerá esse pão do conhecimento irão recusar-se a aceitá-lo. Essas pessoas ainda não estão preparadas para o conhecimento que lhes oferece, mas isso não o deve deter quanto a lhes dar oportunidade de ouvir o que tem a dizer.

"Agora chegou o momento de lhe dizer adeus. Isso não quer dizer que jamais nos tornemos a encontrar, pois o vínculo que se formou entre nós, durante estas últimas semanas, verá seu resultado inevitável. Um vínculo, uma vez formado, raramente é rompido de todo. Depois que eu o deixar, já não saberei o que estará fazendo, tal como me foi permitido saber durante este curto período a fim de ajudá-lo em sua instrução, mas não tenho dúvidas de que o progresso que fez será mantido. Se, no futuro, achar que precisa de mim, a qualquer tempo, faça uma forma-pensamento bem forte, que me represente, e envie seu desejo de contato para o éter que o circunda. Posso não estar em condições de responder a seu chamado de imediato, mas pode ter certeza de que o recebi, e de que entrarei em contato com o senhor assim que o trabalho que tiver em mãos o permita. Apreciei muitíssimo a compreensão que demonstrou nas ocasiões em que minhas palavras poderiam ser interpretadas como crítica ao senhor e a outros que estão no mundo. Acredite-me: não era essa a minha intenção.

"Um dos grandes filósofos disse certa vez: — Quando o discípulo está pronto, o Mestre está sempre ali. — Isso é uma verdade, pois sejam quais forem suas dificuldades o senhor nunca estará inteiramente a sós. Eles não abandonam os que trabalham em seu nome. Seus esforços colocaram-no em conta com alguns dos grandes Seres que se empenham em guiar-lhe os passos pelos caminhos mais apropriados para seu progresso. Sua reação ao auxílio dado por eles levou-o a um contato mais próximo. Eles conhecem as limitações e dificuldades do senhor, e só querem que demonstre o desejo de receber o auxílio que lhe podem dar, e a assistência deles estará imediatamente à sua disposição.

"Que a Paz, pela qual tão pacientemente eles trabalham, possa estar com o senhor e com todos os que procuram aliviar a carga da humanidade. Adeus, até que, ao tempo determinado por Deus, tornemos a nos encontrar."

Epílogo

𝒰m mês se passou desde que terminei de transcrever as notas que fiz a respeito da última palestra de Acharya, e mesmo agora encontro dificuldade para me convencer de que ele não tornará a me visitar. Eu já estava me habituando a esperar por aqueles encontros diários, de uma forma que não teria acreditado possível há dois meses. Sinto-me extremamente feliz ao ver que a cada manhã posso recordar muito do que fiz durante a noite, pois de início não sabia se minha capacidade para me lembrar do que fazia à noite não iria desaparecer depois que foi rompido o vínculo mental com Acharya. Há algumas noites visitei Daphne e indaguei sobre os trechos que eu esquecera quando de nossa visita à Cidade Dourada. Conforme Acharya havia presumido corretamente, ela se lembrava do caso do Cristo que parecia dirigir-se ao povo, tão claramente quanto se lembrava do resto do que se tinha passado naquela noite. Decidi, portanto, que nas noites em que fizesse experimentos em companhia de Daphne, verificaria depois, com ela, o que se passara. Já fiz vários amigos entre as pessoas que vivem no mesmo vale onde Daphne mora, e que não fazem objeção, certamente, à minha volta de vez em quando, embora não possa, no momento, tornar-me membro permanente de sua comunidade.

Há duas noites decidi, por minha conta, ir até a sexta esfera, porque de há muito tenho sentido o desejo de empreender uma viagem num daqueles barquinhos que ficam atracados às margens do lago. Ao chegar, vi que havia dois barcos vazios e um terceiro que conduzia um viajante solitário, que já havia feito quase que a metade do circuito. Tomei um dos barcos remanescentes e, quando o soltei de sua amarração, ele tomou caminho, sem qualquer esforço de minha parte, vagando em torno do lago, em direção contrária à dos ponteiros do relógio, sem nunca se afastar das margens por mais de cinqüenta metros, tal como me havia dito que iria acontecer. Empenhei-me em praticar a meditação, e vi que, embora nunca tivesse tido muito sucesso no mundo, quando se tratava de tal processo, as condições prevalecentes naquele nível do mundo astral tornavam as coisas muito mais fáceis. Tentei me concentrar na idéia da Paz entre os homens que agora estão guiando os destinos das nações — e me pareceu que esse desejo de paz é tão importante para nós quanto para nossos inimigos. Nunca saberei se meus esforços conseguiram fazer algum bem, mas, enfim, fiz uso dos poderes do pensamento, que produzem resultados tão interessantes nestes altos níveis. No fim de cerca de oito horas, senti compulsão para voltar e, sem nenhum esforço aparente de minha parte, fui imediatamente forçado a deixar o barco e a voltar para o plano físico. Desde então fiquei curioso por saber o que teria acontecido ao barco; se ainda continua a vagar ao redor do lago ou se a corrente deixa de ter qualquer efeito sobre ele uma vez terminado o seu curso.

Encontrei-me várias vezes com Mary durante o mês passado, pois a profecia de meu amigo, afirmando que ela tornaria a chamar por mim em futuro próximo, se tornou realidade quinze dias depois que a visitei no hospital pela última vez. Fiz o melhor que pude para dar a Mary o conselho de que necessitava e, felizmente, a menina Irene esteve presente durante a maior parte de nossa conversa. Irene é muito mais sensível do que Mary. Por isso, acho que é bem provável que ela se lembre de muito do que eu disse e que será capaz de repeti-lo a Mary, quando ela acordar pela manhã.

Numa destas noites Jim tornou a me requisitar para ajudá-lo por ocasião de outros acidentes. Trata-se de um trabalho muito fascinante e, embora eu imaginasse que o modo de lidar com casos nos quais homens ainda jovens são arremessados de modo tão abrupto para fora de seus corpos fossem todos iguais, descobri que a técnica de auxílio varia de indivíduo para indivíduo. Aos poucos fui aprendendo a agir e eu disse a Jim que ele poderia me chamar sempre que eles estivessem sobrecarregados. Acho que este é mais um modo de mostrar minha consideração pela ajuda que me foi prestada, e eu acolherei com alegria tanto esta como qualquer outra oportunidade que se me apresente.

Não me encontrei mais com Charles e não tenho meios de entrar em contato com ele, a não ser mandando-lhe um S.O.S. quando houver necessidade. Presumivelmente, ele estará prosseguindo em sua rota, com sua vida normal no mundo astral, e espero sinceramente que não só ele seja feliz naquele mundo, mas que, com o passar do tempo, eu também esteja apto a ajudá-lo de alguma forma. É interessante notar que a causa de meu sofrimento mais extremado, que culminou com a visita de Acharya, pareça ser agora menos importante do que os outros vínculos que fiz. Isso mostra quanto um pouco de conhecimento pode mudar completamente os pontos de vista de uma pessoa.

Esta minha existência dupla me mantém muito ocupado e realmente muito interessado. Às vezes sinto que a vida que vivo fora de meu corpo é de fato a real, e que minha vida no mundo nem de longe tem a mesma importância. Devo evitar que isso aconteça, senão vou me tornar um sonhador e perder de vista o quanto é importante aprender as lições que esta vida tem para me ensinar.

É de fato impossível expressar toda a minha gratidão pelos grandes Seres que governam este planeta. O plano total de seu governo mostra-se tão lógico, que cada passo dado por nós parece ser a conclusão natural do passo anterior, e é difícil imaginar como as coisas poderiam ser diferentes. O que não posso compreender é por que as informações que me foram dadas não são mais divulgadas no mundo. Às vezes sinto um grande desejo de ver meu amigo Acharya, mas combato esse ímpeto de chamá-lo. Que vida maravilhosa a desse homem! Às vezes fico a pensar se um dia terei possibilidade de ser usado para propósitos semelhantes. Se meu desejo se tornar realidade, espero servir a meu Mestre, seja ele quem for, com a mesma fidelidade demonstrada por Acharya. Não me esqueço de que me foi recomendado que compartilhasse o conhecimento que adquiri, passando-o a outros, demonstrando dessa maneira minha consideração pelo auxílio que me foi dado. Continuarei a registrar minhas experiências e, se achar que são interessantes para outros, poderei com certeza considerar a possibilidade de publicar uma série delas.

Minha tarefa de registrar as coisas estranhas que me aconteceram durante as últimas semanas chegou ao fim. Se os que lerem esse registro irão aceitar esses acontecimentos como verdadeiros ou não, isso não é de minha conta. Estou satisfeito por tê-los registrado. Meu dever foi cumprido. Estou bastante seguro de que os que tiverem ouvidos para ouvir tirarão algum benefício destas anotações.

Não nos esqueçamos da promessa que nos foi feita pelo maior de todos os Mestres, quando disse: *"Animai-vos, pois os que guardam os destinos do mundo não dormem."*